CW00765631

Marco Ponti

OMBRE CHE CAMMINANO

Romanzo

ISBN 978-88-9381-313-6

Per essere informato sulle novità
del Gruppo editoriale Mauri Spagnol visita:
www.illibraio.it

Il disegno di pagina 159 è di Cristiano Spadavecchia

dal 1862

Gruppo editoriale Mauri Spagnol
Milano
www.salani.it

A tutti quelli che non vogliono andare a letto,
a tutti quelli che hanno bisogno di una luce per la notte.

I bambini in un certo senso sono dei fantasmi.
Stephen King, *It*

1
LA GRANDE FUGA

Il ragazzino correva a perdifiato.

Correva senza guardare mai indietro. Vietato rallentare, vietato pensare. Una fuga perfetta.

Frederic, undici anni, capelli castani tagliati male dalla mamma, occhi verdi, scarpe rosse da ginnastica, zainetto in spalla, veloce come il vento.

Improvvisamente, una macchina sbucò da una via laterale, Frederic la vide ma andava così veloce che si buttò sul cofano di spalla, fece una mezza capriola e cadde dall'altra parte. Si rialzò, non si era fatto niente.

Quello che successe dopo fu tutta questione di tre colpi d'occhio.

Il primo per il guidatore: *Fate attenzione, accidenti! Lo sapete bene che dove c'è una scuola c'è sempre qualcuno che scappa!*

Il secondo era per gli altri due ragazzini in fuga come lui.

Elisabetta Meroni detta Liz, era in terza, aveva tredici anni e la si notava immediatamente perché aveva gli occhi viola. Capelli biondo cenere e apparecchio ai denti, era alta alta e magra magra. Figlia di genitori salutisti, viveva fuori città, in una casa dove tenevano conigli e galline e coltivavano mais. Correva voce che le avessero già permesso di farsi il primo tatuaggio. Sapeva guidare il trattore, era un genio per le cose meccaniche ed elettroniche, diceva di non credere in niente, non rideva quasi mai e a scuola la prendevano in giro anche perché aveva solo vestiti senza marca.

Più lontano, più affannato, il piccolo Ben, undici anni: stava con i nonni perché suo padre e sua madre erano in prigione, si occupavano di furti d'auto e se l'erano cavata bene finché non avevano cominciato a cavarsela male. Come dice il nome, il piccolo Ben era il più basso della classe. Da quando Frederic lo aveva conosciuto non aveva mai detto una parola.

Il terzo colpo d'occhio era per gli inseguitori. Un gruppetto di sei ragazzini con l'aria di chi non fa prigionieri.

Frederic ripartì, indicò a Liz la prima traversa a sinistra e lei svoltò in quella direzione subito sparendo in mezzo alla folla. Frederic invece svoltò a destra lasciando via Giuseppe Luigi Lagrange (matematico) per infilarsi in via Camillo Benso conte di Cavour (politico e, come dice appunto il nome, conte). Il piccolo Ben lo seguì, portandosi dietro tutti gli altri.

Sbucarono in via Carlo Alberto di Savoia (re), subito si trovarono in una microscopica piazzetta di due metri per lato dove c'era l'entrata posteriore di una chiesa. Era una delle bizzarrie della città che tanto divertivano Frederic: piazzetta Beata Vergine degli Angeli, la piazza più piccola del mondo.

I due ragazzini si buttarono verso il portone della chiesa, entrarono e corsero per la navata sotto lo sguardo scandalizzato di un paio di vecchiette. Volarono verso una porticina laterale e uscirono in un giardino interno chiuso da vecchi muri di mattoni. Frederic si arrampicò come una lucertola, arrivò in cima ed era già pronto a buttarsi dall'altra parte.

Il piccolo Ben riuscì a salire a fatica solo per un metro e mezzo, poi perse la presa e cadde a terra, proprio mentre gli altri stavano arrivando nel giardino. Frederic era ancora lì, a cavalcioni del muro con lo sguardo su Ben e il desiderio di essere già lontano e in salvo, e non sapeva bene che fare.

Dopo un ultimo tentativo, il piccolo Ben rinunciò ad affrontare il muro.

Guardò Frederic, disperato.

Ecco. La classica situazione in cui si perde o si perde.

Ma c'è modo e modo di perdere, e diversi modi di essere un perdente, questo Frederic lo sapeva bene. Scese dal muro, abbracciò Ben e lo spinse con tutte le sue forze in alto, finché non riuscì a farlo arrivare a un appiglio sicuro. Ben raggiunse la sommità e saltò giù sano e salvo dall'altra parte.

Intanto erano arrivati gli inseguitori.

Frederic aveva letteralmente le spalle al muro.

Lui era solo e loro erano sei.

Si fermarono davanti a lui.

Il capo dei bulli si chiamava Tommy (per gli amici, Tommygun) ed era il più alto e il più grosso, e sarebbe stato consolante sapere che era anche il più scemo. E invece no, era il primo della classe, figlio di professori di liceo, piaceva da morire alle ragazze e cantava in un gruppo rap.

Tommy si divertiva a menare la gente. E il povero Frederic da tre settimane era il suo bersaglio preferito.

«Allora allora allora» disse Tommy, avvicinandosi alla preda con un sorrisetto. «Adesso spieghiamo a questo microbo schifoso come funziona il mondo».

Frederic aveva il cuore a mille e sentiva la schiena coperta di sudore ghiacciato.

«Non vedo l'ora» disse solo, sperando di sembrare coraggioso anche se gli tremavano le ginocchia.

E si prese uno schiaffo che lo fece volare per terra.

Oltre a Tommygun c'erano gli altri tre membri della banda: Roberto Ammazzasette, Scheggia e BluBoy, che dopo aver menato i loro compagni di scuola, mettevano in scena dei balletti come se stessero giocando a Fortnite. E c'erano anche due loro inseparabili amiche: Veronica Pellegrini, altissima e bellissima e coi capelli neri corvini e il look dark, e Caterina Ho, mezza cinese, forse la più ricca della scuola, sempre vestita da superstar. Si diceva fosse fidanzata con uno che andava già all'università.

«È così che funziona il mondo» disse Tommy, con l'aria di chi la sa lunga. «È una legge di natura che voi sfigati dovete imparare ad accettare come parte della vostra miserabile esistenza. Dovreste ringraziarci per darvi comunque un senso in un mondo che altrimenti non si accorgerebbe mai di voi».

Frederic non seppe trattenersi dal replicare: «Te la sei studiata a memoria?»

Le sue parole vennero spazzate via da un paio di schiaffi rapidissimi.

«Ce l'hai il cellulare?» gli chiese infine Tommy.

Frederic non rispose.

«Daglielo» disse Tommy, indicando Roberto Ammazzasette. Frederic capì di non avere alternative e tirò fuori da una tasca lo smartphone. Roberto lo prese, lo valutò con aria da intenditore e poi lo posò con cura per terra. I suoi vecchi anfibi lo frantumarono in pochi istanti.

Poi i sei se ne andarono come se nulla fosse, chiacchierando tranquilli, come quando dopo una partita di calcio si commentano le azioni principali e si discute se ordinare le pizze e vedere un film tutti assieme.

Frederic rimase lì, in silenzio. Raccolse i resti del suo telefono, rimise la camicia nei pantaloni, indossò lo zainetto e cercando di non piangere si diresse verso casa. Gli avrebbe dato molto fastidio se qualcuno si fosse fermato e gli avesse chiesto se era tutto a posto. E gli italiani erano sempre lì a chiedere se era tutto a posto.

Avrebbe voluto teletrasportarsi indietro alla sua città degli angeli, Los Angeles, nell'assolata California. E invece i suoi genitori avevano avuto la bellissima idea di trasferirsi nella nebbiosa Torino, una città dove di angeli non ne aveva incontrato neanche uno da quanto era arrivato, poco meno di un mese fa.

La sua nuova casa non era lontana e la si poteva raggiungere facendo vari itinerari: questo almeno era bello, c'era sempre qualcosa da scoprire. Frederic aveva imparato presto a orientarsi per le strade della città. Lo affascinava lo schema ortogonale delle vie, degli incroci e delle piazze, e anche il loro nome: che di solito era quello di una persona famosa, o di un posto importante. Più raramente il nome di una pianta o una data storica. Mai però il nome di un animale. O di un oggetto. Strano, vero? C'era via dei Tigli ma non c'era mai via delle Tigri o corso Playstation. Perché? Mistero.

Cercando Torino su Google aveva subito trovato: la città del mistero. Un bel biglietto da visita, pensare se fosse apparso: la città della noia. Aveva anche visto una cartina dove erano tracciati due triangoli: il triangolo delle città della magia nera e quello della magia bianca. Per la magia nera c'erano San Francisco, Londra e Torino. Per la magia bianca c'erano Lione, Praga e Torino. Una città che tifava un po' per il bene e un po' per il male. Interessante.

Però al richiamo del mistero Frederic non poteva resistere e si era messo a studiare la mappa della città: le vie, i quartieri, i fiumi e le linee dei trasporti: per lui ogni mappa era quella di un tesoro.

Camminando, con l'anima e tutto il suo dolore pesanti sulle spalle, si vide riflesso nella vetrina di un negozio e scoprì di avere un occhio nero. Sperò che non sarebbe stato così evidente una volta arrivato a quella vecchia villa che era diventata casa sua e che gli dava i brividi ogni volta che la vedeva.

2
LA VECCHIA VILLA IN MEZZO AI PALAZZI

Il cancello era massiccio e contorto, la ruggine e il tempo se lo stavano mangiando piano piano. Era decorato con due draghi ad ali spiegate che da un secolo stavano lì a fare la guardia. Frederic entrò col morale a terra. Il vecchio metallo pesante emise dei cigolii che sembravano delle urla disperate.

C'era una bella luce, ma faceva un freddo cane.

Frederic percorse un vialetto lastricato da pietre ormai spaccate dalla terra e dalle radici degli alberi. Incrociò alcuni sconosciuti che si stavano occupando del trasloco.

Vide passare una gigantesca cassa di legno che conteneva un pianoforte a coda. E poi vide una statua dorata di un Buddha seduto e avvolto nella plastica. Una tavola da surf.

Come i resti di un naufragio, gli venne da pensare, stavano tornando a riva gli oggetti che la sua famiglia aveva deciso di portare con sé dagli Stati Uniti.

Suo papà, Alessandro Ferrari, scrittore famosissimo, assieme a sua mamma, Beatrix Henry, professoressa di Meccanica Quantistica alla University of Southern California avevano deciso, senza consultarlo, che era ora di cambiare aria, e avevano scelto la città dei suoi nonni paterni.

Era da più di tre settimane che la famiglia era arrivata nel Vecchio Continente, ma per via di un imprevedibile maltempo sull'oceano Atlantico e di un prevedibile sciopero dei doganieri italiani stavano ricevendo solo ora i mobili e le molte scatole con tutte le loro cose. E dunque erano tre settimane che andavano avanti con quello che avevano nei bagagli a mano e un po' di cose fondamentali comprate al volo.

E ora, finalmente, tutto quanto stava arrivando, assieme ai mobili e agli elettrodomestici coi quali avrebbero arredato la nuova casa.

A dirla tutta, definirla casa era troppo e troppo poco: un'enorme villa progettata e costruita all'inizio del Novecento da uno che aveva la fissa del Medioevo. L'edificio era pieno di torri, torrette, merlature, grifoni in ferro battuto e affreschi. C'era persino una finestra circolare che riproduceva il disegno di una ragnatela, e al centro del vetro non poteva che esserci un ragno di ferro.

L'agenzia immobiliare aveva provveduto alle pulizie e a sistemare le cose più urgenti, ma cinquanta e più anni di abbandono erano difficili da eliminare del tutto.

Forse quella casa non era stata un grande affare. No, molto probabilmente era stato un errore colossale.

Frederic si spostò dal vialetto per via dell'andirivieni di traslocatori e manovali. Non aveva nessuna voglia di portare in casa il suo nuovo occhio nero, così decise di vedere se lì attorno c'era qualcosa di interessante da scoprire.

Vide suo padre, che stava aprendo degli scatoloni vicino alla finestra del primo piano. Gli fece ciao con la mano, e lui sorrise e ricambiò il saluto.

Il papà di Frederic, Alessandro, non era in realtà così interessato a sistemare le cose che arrivavano da oltreoceano. Nella sua testa c'erano più che altro dei grossi dubbi.

Era stata la cosa giusta andare in Italia? Chiedere a Beatrix di prendere una pausa dalla sua brillante carriera? Per cosa, poi? Per ritrovare quella voglia di scrivere che aveva perso, forse per sempre? E soprattutto era stata una cosa sensata togliere suo figlio Frederic dalla scuola proprio all'inizio della prima media, che come si sa è l'anno più difficile di tutti?

«Costringere un ragazzino a iniziare due volte la prima media è forse una delle cose più crudeli che un adulto possa immaginare» gli aveva detto Frederic il giorno prima. Alessandro non era stato capace di trovare una buona replica se non un debolissimo: «Vedrai che le cose si sistemeranno».

Alessandro guardò un vecchio caminetto annerito. Andò verso uno dei pochi mobili trovati nella casa: una vecchia scrivania con la saracinesca e tanti cassetti. Prese il computer portatile e lo posò sul ripiano della scrivania, accanto a un gruppetto di macchie di inchiostro blu scuro che gli fecero venire in mente le isole Hawaii. Lo accese. Lo guardò per un po', in piedi, anche perché non c'era nemmeno una sedia. Prese due scatoloni, li mise uno sopra l'altro, si sedette, guardò ancora un po' lo schermo del computer, e infine lo richiuse.

Da sotto, gli arrivò la voce della moglie. Stava parlando al telefono, c'era qualche problema con i mobili nuovi.

Beatrix, detta X. Aveva mollato tutto per accompagnarlo in quella strana casa, sotto quel cielo di acciaio e senza sole. Lei si aspettava un'Italia dove tutti andavano in Vespa in canottiera e passavano il tempo a tavola a mangiare e cantare, e invece si era ritrovata quella città misteriosa.

Era delusa X.

Era una donna che aveva viaggiato, studiato e fatto una bella carriera e adesso era impegnata in una delle sfide più complesse della sua vita: un trasloco. Nello specifico, stava affrontando una questione complicatissima legata a un frigorifero a due ante che aveva ordinato bianco ed era arrivato nero, e con un'anta sola: insomma, proprio un altro frigorifero.

Mentre stava finendo la telefonata, Alessandro le passò accanto e le fece una carezza sui fianchi, pensando che era bellissima, ancora abbronzata e coi capelli schiariti dal sole e dal sale della California. Lei ogni tanto si lamentava delle rughe e delle lentiggini, ma poi la metteva sul ridere e diceva che andava bene così.

Ma non glielo disse, che era bellissima: non disse nulla, come ormai succedeva da troppo tempo.

3
L'ALBERO PIÙ BRUTTO DEL MONDO

A Frederic quella casa sembrava ogni secondo più spaventosa.

Ma il problema non era solo la casa.

Innanzitutto c'era il parco. La devastazione causata dall'incuria di decenni aveva prodotto una selva che scoraggiava chiunque a addentrarvisi.

Poi c'era quella casetta oltre il muro di cinta. La casetta in sé non era male, anche se, mezza avvolta da piante rampicanti, si stava lentamente sbriciolando nel tempo, ma il problema era che ci abitava un vecchio vecchissimo, che faceva una paura nera solo a guardarlo. Alto, magro, capelli bianchi e occhi grigio chiaro, quasi metallici.

Ed era lì, sull'uscio della casetta, immobile.

«Buongiorno» gli disse Frederic. Ma il vecchio non rispose.

Se ne stesse in casa sua, al calduccio, ed evitasse di guardarmi in quel modo. E poi che se ne fa di quel gufo su un trespolo davanti alla porta? Ha un gufo come animale da compagnia. Roba da non crederci.

Frederic passò di fianco a un'enorme quercia che secoli fa doveva essere stata colpita da un fulmine perché, pur essendo ancora viva, aveva il tronco biforcato ed era cresciuta in un contorcimento penoso e orribile a vedersi. Le radici, come serpenti marini che emergono dalla superficie dell'acqua, sbucavano nel giardino anche a notevole distanza. I rami nodosi e ingarbugliati parevano fauci di mostri terribili.

Accelerò il passo, andando verso la porta di casa.

Un enorme ingresso accoglieva i visitatori. Una sala maestosa, con marmi pregiati sul pavimento e uno scalone doppio di legno che portava ai piani superiori.

Le grandi finestre lasciavano passare lunghe lame di luce bianca.

Andò in cucina.

«E quest'occhio nero?» gli chiese la mamma, dandogli una carezza proprio sul livido che a Frederic fece un po' bene e un po' male e poi tornò a trafficare con il forno nuovo.

«Oggi c'era educazione fisica» disse Frederic.

«Mettici del ghiaccio».

«Il frigo non c'è, mamma».

«Ah già. Lascia perdere il ghiaccio, prima o poi passa».

«Grazie per la dritta, mamma».

Mentre se ne andava la sentì dire: «Però adesso basta, farsi menare dai compagni. Nei prossimi giorni passo a parlarci io con quelli».

Frederic andò verso il piano di sopra. Non c'era mai verso di farla franca, con X. Mai.

Ogni gradino dello scalone cigolava. Frederic notò che se ai primi passi il cigolio era quasi inavvertibile, man mano che saliva il rumore diventava una specie di *lamento*.

In cima alla scala gli arrivò una folata di aria gelida: ma le finestre erano chiuse.

Adesso aveva davvero paura.

Fece un paio di passi rapidi poi si mise a correre lungo il corridoio e raggiunse al volo lo studio del padre. Aveva la pelle d'oca.

«Tutto a posto?» gli chiese Alessandro, vedendolo col fiatone.

«Sì, ho fatto le scale di corsa».

Frederic notò gli scatoloni di libri aperti, i libri sparsi dappertutto e vide che il padre aveva appeso al muro una foto incorniciata della porta di una libreria di San Francisco sulla quale qualcuno mille anni fa aveva scritto con la vernice bianca la frase I AM THE DOOR. Per Frederic era incomprensibile che qualcuno si fosse preso la briga di scrivere su una porta che si trattava, per l'appunto, di una porta. Ma quelli della libreria erano persone simpatiche e dunque, per quanto lo riguardava, potevano scrivere quello che volevano dove volevano.

«Ti ricordi quella sera a cena quando ho detto: 'Andiamocene via da qui?'» chiese Alessandro.

«Me lo ricordo».

«Lo sapevi che la frase 'Andiamocene via da qui' è presente nel novantanove per cento dei film? C'è sempre un punto in cui qualcosa sta per esplodere o un posto che diventa pericoloso e allora uno lo dice.».

«Casa nostra stava per esplodere?»

«In qualche modo, sì».

Fu proprio così che avevano detto addio all'America. Quella sera, suo padre aveva giocherellato con la roba nel piatto per dieci minuti e sua madre si era messa a piangere.

Avevano deciso di trasferirsi in Italia. Anche se lì Alessandro non aveva più parenti, sentiva che era il posto dove andare a vivere. Torino era la città dei suoi nonni, la città delle sue radici, e dove ci sono delle radici c'è sempre una possibilità di ricominciare da capo.

Fu così che avevano fatto i bagagli ed erano arrivati in quella strana casa.

Suo papà alla ricerca delle storie che aveva perso da qualche parte nella sua testa.

Sua mamma nella speranza di ritrovare l'uomo meraviglioso che aveva sposato e che adesso sembrava vagare senza più una meta.

E lui che desiderava solo riuscire a sopravvivere, in questo ambiente nuovo e ostile: Liz e il piccolo Ben erano i suoi compagni di sventure, ma per ora non erano ancora proprio amici.

Bisogna dire che Frederic era un tipo solitario anche prima di partire. In America aveva un amico immaginario che si chiamava Signor Windermere, che poi chissà come non era partito. Forse era andato a fare l'amico immaginario di qualcun altro.

Quel giorno era il compleanno di Frederic e i genitori da tempo gli avevano promesso una serata tutta per lui in qualche posto bello.

«Dove andiamo dopo?» chiese Frederic.

Suo padre lo guardò con aria interrogativa.

«Non festeggiamo questa sera?»

«Sì, certo, ma stiamo a casa».

«A casa? Perché a casa?»

«Sì, te l'avevamo detto, no? Vengono molti invitati». Lanciò uno sguardo alla finestra. «Ecco, appunto, stanno arrivando quelli del catering».

Frederic guardò il cortile, c'erano varie persone che stavano scaricando da un paio di furgoni cibo, bicchieri, bevande.

«Ma stasera dovevamo uscire solo noi!»

Improvvisamente suo padre capì di aver fatto una stupidaggine. Ne fanno tante, di stupidaggini, i padri, ma se ne accorgono sempre troppo tardi.

«Il compleanno. Avevamo detto 'una di queste sere', e lo facciamo, te lo prometto, ma stasera ci sono delle persone che devo vedere».

«Non importa, papà».

«No, davvero, mi spiace tanto, ma vedrai...»

«Ho detto che non importa».

Da fuori arrivò il rumore di una violenta frenata, videro una Mercedes nera, nuova di zecca e parcheggiata male. La portiera si aprì e scese Anna Crudelia Herbst, l'odiosa agente letteraria di Alessandro.

La donna puntò dritta verso l'ingresso di casa.

«Crudelia» disse Frederic.

«Non chiamarla così, se ti scappa davanti a lei siamo rovinati».

«Che vuole?»

«Dobbiamo parlare di lavoro. Domani faremo una festa ancora più bella, davvero» disse, consapevole di essere il padre più deludente del mondo.

Frederic si sentì invadere da una rabbia infinita.

«Il mio compleanno era oggi!» e uscì dallo studio sbattendo la porta con tutta la forza che aveva. Se ne andò dritto in camera sua.

4
FULMINI

In camera c'era solo un materasso appoggiato sul pavimento di legno. Era nuovo, lenzuola, coperte e cuscino e tutto quanto come si deve, ma alla fine era solo un materasso per terra. Accanto al materasso c'era il suo zainetto, con ancora l'etichetta della Lufthansa e dentro tante cose importanti quante ne possono stare in un bagaglio a mano.

La grande finestra dava esattamente sull'albero più brutto del mondo.

I muri erano coperti da una tappezzeria a motivi floreali, e su una parete c'era un'enorme carta geografica del mondo vecchia di cent'anni. Forse, chissà, in quella stanza ci aveva abitato un esploratore o il figlio di un esploratore che seguiva su quella carta i viaggi del padre.

Però non era camera sua.

Non lo era *ancora*, si diceva Frederic quando era di buon umore.

Non lo sarà *mai*, pensò ora, quando si sedette sul materasso.

Si sentiva abbandonato da tutti, senza un paese, senza una lingua veramente sua, senza amici né veri né immaginari. E quel giorno persino i suoi genitori si erano scordati di lui.

Si guardò attorno alla ricerca di qualcosa da spaccare per sfogarsi, ma la stanza era vuota.

Tuoni lontani lo distrassero dalla sua rabbia.

Andò alla finestra e vide che accanto alla Mercedes di Crudelia ora c'erano molte altre macchine. Qualcuna era scura, anonima, altre erano fuoriserie tipo Lamborghini o Maserati, altre ancora modelli elettrici di lusso. Un paio di autisti chiacchieravano e fumavano, stretti nelle loro giacche nere.

In cielo sembrava che un bambino si fosse divertito a usare a casaccio i pastelli colorati: giallo, rosso, viola, rosa, persino il verde.

Nuvole nere, velocissime.

Un fulmine, all'improvviso, disegnò un graffito all'orizzonte.

Subito dopo, Frederic si accorse che il pavimento di legno aveva iniziato a lamentarsi come le scale poco prima, solo che questa volta lui era immobile. E ancora più immobile rimase quando vide un rotolo di carta da parati staccarsi con lentezza infinita dal muro e arrotolarsi, piano piano, fino a terra.

Di colpo le molle del materasso si misero a cigolare e i vetri della finestra si misero a vibrare come se stessero per esplodere.

La manopola della porta girò lentamente.

Frederic si rese conto di aver quasi smesso di respirare.

La luce dell'abat-jour divenne improvvisamente rossa.

Rumore di passi, fuori dalla porta.

«Mamma?» chiamò con voce incerta. Poi prese un bel respiro «Mamma! Mamma!!!»

Non rispose nessuno.

Frederic sentì come una specie di elettricità nell'aria, che gli passava tra i capelli e lungo la schiena.

Fu buio assoluto.

Poi ci fu il primo lampo, e per un istante fu di nuovo giorno. Tempo cinque secondi e arrivò il tuono. Un fragore assordante.

Un secondo lampo, poi tre secondi di silenzio e il tuono, più forte del primo.

Frederic sapeva che se il tempo tra il lampo e il tuono si accorcia significa che il temporale si sta avvicinando. Ma di solito era una cosa piuttosto graduale.

Non questa volta.

Ci fu un altro lampo.

Due secondi, e poi il tuono.

Il tempo di un mezzo respiro e arrivò un altro lampo ancora, seguito quasi subito dal tuono.

Tornò tutto tranquillo.

A Frederic ronzavano le orecchie.

Andò alla finestra, ora c'era di nuovo un po' di luce lunare.

Ed ecco che ci fu un lampo così abbagliante da far male, e subito un boato. Un fulmine, a pochi metri dai suoi occhi, un fulmine vero, andò a colpire l'albero nel giardino!

L'albero ora aveva una lunga cicatrice rossa di fuoco, come lava, che attraversava il tronco fino alle radici.

Nell'aria c'era un odore forte e pungente, un misto di zolfo e di quella roba schifosa che ti aggredisce il naso quando passi davanti a un cespuglio dove c'è un animale morto.

Frederic vide un movimento vicino all'albero. Un'ombra che si muoveva, ma fu solo un attimo: dopo non vide più nulla.

Ombra o non ombra, Frederic decise che era molto più di quello che potesse sopportare e se ne andò a letto, vestito, nascondendosi sotto le coperte, testa inclusa.

Una specie di rumore ovattato sul soffitto. Piccoli passi, rapidi, che non accennavano a fermarsi.

Poteva essere un ragno che camminava sul soffitto. Si maledisse per quel pensiero, perché se c'era una cosa che lui odiava erano i ragni. Ne aveva una paura irrazionale e totale: una volta aveva visto in un documentario un'enorme tarantola amazzonica che aveva catturato un uccello tipo un colombo e con grande irritazione di sua madre aveva vomitato sul tappeto.

Decise che avrebbe guardato. Decise che avrebbe tirato giù il lenzuolo e avrebbe constatato che non c'era nulla da vedere. Decise che avrebbe contato fino a tre e poi lo avrebbe fatto.

Uno.

Due.

Due e mezzo.

Due e tre quarti.

Tre meno meno.

Dai che stai diventando ridicolo, via il lenzuolo... Bravo, lo hai fatto, mi sei piaciuto Frederic, ora devi solo aprire gli occhi. Ma non piano piano, dai, di scatto, tanto non c'è niente da vedere e allora tanto vale vederlo subito, e allora andiamo, forza e coraggio, pronti, partenza...

Tre!

Frederic aprì gli occhi e guardò il soffitto.

E quello che vide non fu un ragno.

No, non fu *un* ragno.

5
LE BANDIERE DEI PIRATI

Tutto il soffitto era ricoperto da centinaia di grossi ragni, era come se si stesse muovendo in una marea nera e mortale.

Frederic era paralizzato, le mani stringevano il lenzuolo, incapace di fare o di pensare a niente. Ed ecco che i ragni incominciarono a cadere sul suo letto! Una pioggia di tarantole gli stava precipitando addosso e lui avrebbe voluto urlare, ma dalla bocca spalancata non gli usciva alcun suono e allora se la tappò con entrambe le mani nel terrore che uno di quegli schifosissimi animali ci cadesse dentro. Ma intanto pensava che per lui era finita, che quella stanza in quella casa sarebbe stata l'ultima cosa che avrebbe visto, in una solitudine terrorizzata che mai avrebbe immaginato.

La porta della camera si aprì e prima la voce e poi il viso della mamma gli riportarono il cuore alla giusta velocità.

«Tutto bene, pulce?»

Frederic si rese conto che non c'era nessun ragno.

«Hai sentito che temporale?»

«Temporale?»

E si sedette sul materasso, accanto a lui. Accese l'abat-jour.

«Mi spiace tanto per stasera».

«Dovevamo stare solo noi, in un posto bello e in pace: me lo avevate promesso».

«Hai ragione. Ma è un momento complicato, e tuo padre aveva bisogno di vedere delle persone, cerca di capirlo, piccolino mio».

«Dovevate dirmelo».

«Sì. Dovevamo dirtelo. E ce ne siamo dimenticati. Abbiamo sbagliato. Anche i genitori sbagliano, alle volte. Ci perdoni?»

Frederic non disse nulla.

«Dai che sotto è pieno di roba buona, e papà vuole presentarti un po' di persone».

«Non voglio vedere nessuno».

«Su, dai, metti una maglia carina e vieni giù, non è bello starsene chiusi in camera quando ci sono ospiti».

«No».

«Ti aspettiamo. Metti la maglia a righe che ti sta bene».

E si alzò per tornare alla festa.

«Mamma?»

X si fermò, e lo guardò.

«Stai vestita così, questa sera?»

Non aveva mai visto sua madre così bella. Indossava un lungo abito nero, a maniche lunghe e collo alto ma con la schiena completamente scoperta e la collana di perle che suo padre le aveva regalato quando era nato lui. I capelli sciolti, le ciglia lunghissime e nessun trucco sul viso a cancellare le lentiggini, le sue piccole macchie lasciate dal sole e dall'oceano.

«Non ti piaccio?»

«No» mentì lui. Lei sorrise.

«Sì che ti piaccio. E tu piaci a me. Dai, scendi. Anche senza maglia a righe, chi se ne importa».

Un tempo, la mamma avrebbe lasciato la festa con lui e l'avrebbe portato al cinema. Questa volta invece voleva che lui partecipasse a una festa che non era la sua e che invece avrebbe dovuto esserlo. Doveva fare la parte del bravo bambino, come una stupida foca ammaestrata.

«No. Non mi piaci con quel vestito e io non scendo».

«Nelle famiglie normali si sta tutti assieme. Se tra dieci minuti non sei giù ti vengo a prendere» disse lei, e lo lasciò solo.

Solo.

Prima era spaventato, ora era arrabbiato.

Prese il suo zainetto, lo aprì e ne tirò fuori una bandiera piegata con cura: nera, con un teschio bianco e due tibie incrociate.

Il Jolly Roger, la bandiera che i pirati issavano per spingere le altre navi alla resa.

Richiuse lo zainetto, dove restava una seconda bandiera, rossa. La bandiera che i pirati issavano per dire che la resa non gli sarebbe bastata: avrebbero comunque ammazzato tutti e poi avrebbero affondato le loro navi.

Frederic adorava i pirati, sapevano sempre come cavarsela. Non erano mai soli né avevano dubbi, si buttavano in battaglia cantando, rubavano tutto quello che potevano e poi lo perdevano giocando e bevendo al primo porto.

Sapeva tutto dei pirati. Veri e inventati. Dal feroce Edward Low a Sir Francis Drake, da Jack Sparrow, il pirata dei Caraibi, a Han Solo, il pirata spaziale, senza dimenticare anche il più famoso pirata della Malesia:

Sandokan, che era nato dalla fantasia di uno scrittore che suo padre amava molto, e che era vissuto proprio nella sua nuova città.

«Abitava qui, si immaginava mille avventure in giro per il mondo ma il mondo, lui, mica l'aveva mai visto. Se lo sognava solo dalla scrivania e le più strabilianti avventure esotiche diventavano più vere del vero».

Era uno dei primi giorni passati a Torino, e suo papà lo aveva portato a fare una passeggiata. Erano arrivati davanti a una casa bianca, piena di finestre. Si ricordava ancora l'indirizzo, corso Casale 205. C'era una targa, sul muro. Diceva:

> FRA QUESTE MURA EMILIO SALGARI VISSE IN ONORATA POVERTÀ, POPOLANDO IL MONDO DI PERSONAGGI NATI DALLA SUA INESAURIBILE FANTASIA, FEDELI A UN CAVALLERESCO IDEALE DI LEALTÀ E DI CORAGGIO.

«Inesauribile fantasia» ripeté suo padre. Poi aggiunse: «La moneta ce l'hai, vero?»

Era una moneta d'oro. Una due scudi del 1759 emessa dal re di Spagna Fernando VI che, stando alla storia che gli aveva raccontato suo padre, era finita nel bottino di una nave pirata, poi chiusa in un forziere, sepolta nell'isola di Ocracoke a qualche miglio a est della costa dell'attuale Carolina del Nord e lì dimenticata per secoli, finché un appassionato di libri canadese non aveva trovato per caso la mappa che ne segnava l'esatta ubicazione. Credendo contro ogni logica alla mappa, l'uomo aveva preso un aereo, poi un taxi, un traghetto, aveva raggiunto all'isola, noleggiato una jeep e comprato una bussola e una pala in una ferramenta locale, e aveva cercato per giorni sotto la pioggia e sotto un sole feroce, fino a quando non aveva il tesoro. Monete d'oro, gioielli, oggetti pregiati: un tesoro di pirati.

Quell'appassionato di libri era anche un grande ammiratore di suo padre e, dopo avergli chiesto una dedica sul suo romanzo preferito gli aveva regalato quella moneta. «Per sdebitarmi in minima parte di tutte le cose belle che ho trovato nelle sue pagine», aveva detto.

Frederic non era ancora nato, e suo padre non poteva immaginare che quello che stava autografando sarebbe stato il suo ultimo libro.

Col tempo, quei pochi grammi d'oro cominciarono a essere sempre più pesanti nelle sue tasche, pesavano come tutte le parole che non riuscivano più uscire dalla sua penna... e allora un giorno Frederic ricevette quella moneta. Era il giorno del suo settimo compleanno.

Forse la verità era che non veniva da un tesoro di pirati? Forse non era neanche d'oro. Frederic sapeva che suo padre se ne inventava tante di storie, e nessuna era mai vera. Ma anche se temeva che non valesse nulla, era felice che gliel'avesse regalata e la portava sempre con sé.

Gliela restituirò il giorno che lo vedrò felice.

Frederic prese la moneta dalla tasca, la lanciò in aria e la riprese al volo. Era bello sentire la musica che faceva nell'aria.

«Buon compleanno» si disse, e la lanciò verso il suo zainetto aperto. Sbagliò mira, e la moneta rotolò via. Frederic non si curò di recuperarla.

Appese la bandiera pirata fuori dalla finestra. Sventolava come se fosse stata in mare.

Prese la torcia elettrica, una tavoletta di cioccolata e il libro di storie di pirati, e lasciò la stanza.

6
NON MI TROVERETE MAI

Camminando per il corridoio, Frederic ebbe la precisa sensazione di fare la cosa sbagliata e questo lo mise di ottimo umore.

Alla festa c'erano tante facce mai viste prima. Bevevano, chiacchieravano, c'era musica e le cose da mangiare sembravano buonissime. Frederic si rese conto di essere per loro del tutto invisibile.

Vide suo papà ridere forzatamente vicino a un tipo sudato che si ingozzava di tramezzini. E la mamma non si accorgeva di come la guardavano gli uomini.

Lui tirò dritto, attraversò il salone, passò per la cucina e arrivò davanti a una pesante porta di legno a fasce chiodate. Rimase lì qualche istante, improvvisamente incerto sul da farsi.

Una voce lo fece trasalire: «E tu chi sei?»

Era Crudelia.

«Frederic».

Lei lo guardò con aria curiosa, e bevve un sorso del suo cocktail.

«Il figlio di Alessandro Ferrari» aggiunse lui.

«Vuoi sapere la verità? Ma che resti tra noi».

Lui aspettò.
«A me i bambini fanno schifo».
E se ne andò, sorridente.
Frederic aprì la porta.
Dall'altra parte era buio pesto.
Entrò e chiuse la porta, col cuore a mille e la pelle d'oca. I rumori della festa rimasero dall'altra parte. Aveva davanti una scala che scendeva nelle cantine.
Vuoi essere davvero sicuro che non ti troveranno? Vai nell'ultimo posto al mondo dove vorresti andare.
Le poche volte che era stato costretto ad andarci aveva odiato quel posto con tutto se stesso. Si immaginava che sulle mura umide e scrostate, quand'era buio, strisciassero creature orrende e pericolose, che gli sarebbero scivolate addosso sotto i vestiti e gli si sarebbero infilate nelle orecchie e negli occhi e... Basta!
Non doveva pensarci.
La torcia illuminava solo una vecchia scala di pietra, e sui muri c'erano solo macchie di umidità.
Qualcuno aveva fatto un disegno nero con una candela sul soffitto: un viso deforme, due occhi cattivi, un grosso naso che colava. Di giorno gli era sembrato disegnato male e ridicolo. Ora era una faccenda differente.
Frederic non era solo arrabbiato coi suoi genitori, era anche arrabbiato con se stesso per essersi ficcato in una situazione così complicata.
Arrivò in cantina. Premette l'interruttore, che sparò una piccola scintilla. La luce si diffuse con lentezza esasperante. La stanza era grande, i soffitti erano a volta di mattoni, e il pavimento così sporco che sembrava fatto di terra battuta. Ragnatele. Un vecchio baule. Un pettine di legno, ancora mezzo infilato nella sua custodia. Qualche

bottiglia di vino preistorica. Una sedia di legno e paglia. Frederic provò a vedere se lo reggeva.

Posò la cioccolata su una cassa di legno. Le mise accanto da una parte la rabbia, dall'altra la paura.

Sopra di lui, lontanissima, una promessa di festa di compleanno non mantenuta. E là fuori, tuoni e fulmini che aveva visto e sentito solo lui.

Frederic sentì forte la mancanza del Signor Windermere. Era solo, in quella stupida e inutile cantina, con un libro che non voleva leggere e della cioccolata che non aveva voglia di mangiare.

«E comunque della mia festa non me ne importa proprio niente, se davvero volete saperlo!» disse ad alta voce.

Sentì il naso pizzicare, poi cominciò a vedere le cose sfocate. Cercò di dirsi che a undici anni non si piange per cose del genere e quasi ci riuscì, a fermare le lacrime. Ne sfuggì solo una, che scese lenta lungo la sua guancia destra e poi si staccò dal mento per precipitare a terra.

Frederic la vide, quell'unica lacrima abbandonata per terra. Aspettava che venisse assorbita ma ecco che, dal punto esatto in cui era caduta la lacrima, partì piano una specie di crepa. Una crepa che prese velocità, che iniziò a correre a zig zag sul pavimento, salì su un muro, si allargò un po', e poi rallentò fino a fermarsi.

Frederic non sapeva se credere o meno ai suoi occhi ancora umidi.

Nella cantina scese un silenzio tombale.

Posò il libro per terra e non fece nessun suono.

Era come se il mondo intero stesse trattenendo il respiro. E di solito, si sa, quando si trattiene il respiro è perché sta per succedere qualcosa di importante.

Dall'altra parte del muro arrivò un rumore.

7
IL MURO

Un rumore. Come se qualcuno stesse bussando, o grattando.

Sarà un topo, pensò Fred, facendosi coraggio e avvicinandosi al muro. *Anzi, di certo è un topo. I topi vanno bene, le navi pirata sono piene di topi.*

Però si sentiva come un respiro.

Frederic tirò fuori di tasca la torcia e la usò per dare un colpetto al muro, uno solo.

Silenzio.

Poi dall'altra parte arrivò un colpo simile.

Diede ancora due colpetti, uno dopo l'altro.

E il muro rispose con due colpi.

Poteva essere un caso.

Con la mano tremante, diede un'altra botta, che venne fuori proprio debole e indecisa.

Non successe nulla per un po' e Frederic cominciò a sentirsi ridicolo e patetico.

THUD!

Dall'altra parte arrivò una botta così forte che fece cadere pezzi di intonaco e sollevò parecchia polvere. Frederic indietreggiò.

Le cantine mal illuminate possono fare brutti scherzi alla nostra immaginazione, ma sono pur sempre solo delle cantine e i mostri non esistono, lo sanno tutti.

Con un grosso chiodo iniziò a fare un buco nel muro.

Quando il buco fu grande come una monetina, Frederic lo pulì dai detriti, ci soffiò dentro, posò il chiodo per terra e lentamente avvicinò l'occhio per vedere che cosa ci fosse dall'altra parte.

Prima non vide nulla, poi il suo sguardo si abituò al buio.

Frederic fece un balzo all'indietro, cadde sul sedere a gambe larghe e restò senza fiato a guardare il muro: dall'altra parte c'era un occhio!

E dal buco arrivò anche una voce.

«Aiutami».

Sembrava un ragazzo, non faceva paura, anzi.

Aiutami.

Frederic Henry racimolò tutto il coraggio che serviva, tornò al muro e si mise a lavorare per allargare il buco. Sapeva che se fosse scappato sarebbe scappato per tutta la vita.

I mattoni erano vecchi e dopo un po' cedettero. Il muro franò tutto di un colpo, come un castello di carte.

Dall'altra parte c'era un ragazzo che si guardava attorno con aria incredula e spaesata.

A Frederic i grandi sembravano tutti uguali, ma questo era difficile da definire. Aveva addosso una specie di vecchiaia che lo rendeva diverso dai ventenni che incrociava per strada.

Alto alto e magro. Capelli castano chiaro corti, le guance scavate, gli zigomi alti che facevano risaltare le orecchie grandi e il naso aquilino. Una faccia un po' buffa, ma poi c'erano quegli occhi, così tanto curiosi, tristi e allegri. Mai fino a quel giorno gli era capitato di percepire qualcosa di così vivo, di così fortemente immerso nel presente, come un animale che dopo mesi di letargo esce dalla tana, cerca cibo, scruta per valutare i pericoli e torna a respirare l'aria fresca.

Il ragazzo si spolverò i calcinacci che gli erano arrivati addosso. Indossava una giacca e dei pantaloni di lana verde scuro che avrebbero proprio avuto bisogno di una bella lavata.

Rivolse a Frederic un sorriso timido. Il sorriso timido e dolce del Signor Windermere. Uno di quei sorrisi che quando li ricevi tutto quanto ti sembra più bello e più facile.

Il ragazzo attraversò il buco nel muro e gli si avvicinò.

«Chi sei?» gli chiese Frederic.

Un lungo silenzio.

«Non lo so».

Poi allungò la mano, gli accarezzò la testa con una delicatezza inaspettata.

«Grazie» sussurrò.

Nella stanza ora c'era un odore nuovo, come di vecchi libri. Ma non solo, c'era anche dell'incenso, che Frederic aveva scoperto in una chiesa di Torino. E infine c'era quel profumo forte che ti arriva addosso nei primi cinque secondi in cui entri da un fioraio.

E un ragazzo smarrito.

Frederic doveva assolutamente saperne di più.

«Frederic!»

La mamma. L'aveva trovato.

8
IO NON SO CHI SONO

X vide il muro crollato, la polvere dappertutto ed ebbe paura che suo figlio si fosse fatto male. Mentre gli chiedeva come stava si mise a toccarlo, cercando ferite e controllando che le ossa fossero ancora intere.

«Sì mamma, sto bene, è tutto ok».

Ma lei continuò a manipolarlo come se fosse stato un pupazzo. Quando gli aprì la bocca per controllare i denti, Frederic si staccò da lei e con fermezza le prese le mani.

«Mamma, non mi sono fatto nulla. È caduto il muro, ma ero lontano».

«È mezz'ora che ti cerco e stavo per fare... non so che cosa stavo per fare, ma adesso non importa».

«Sto bene, mamma».

«Lo so. Vieni qui».

X lo abbracciò con tutta la dolcezza di mamma.

Frederic si staccò dall'abbraccio, era davvero bella in quell'abito da sera. Raccolse il libro di pirati, la prese per mano e andò verso la scala, verso la festa.

Nel momento esatto in cui Frederic mise piede sul primo gradino si rese conto che lei non lo aveva visto.

Quel ragazzo che stava salendo le scale dopo di loro, in silenzio, lei non lo aveva proprio visto.

X lo accompagnò dal padre, e Frederic gli disse che era tutto a posto, che non era più arrabbiato e che era solo molto molto stanco. Suo padre gli disse che era tutto a posto, che non era più arrabbiato e che era solo molto molto impegnato. Infatti era evidente che stava parlando di cose importantissime con Crudelia, che guardò il ragazzino come si guarda un cane che sbava sui sedili dell'auto nuova.

Che cosa voleva quella strega da suo padre? si chiese Frederic. Voleva che scrivesse, però c'era qualcosa di brutto tra loro, perché si vedeva che suo padre stava soffrendo. E che Crudelia era felice di quella sofferenza.

Almeno per ora, non c'era niente che Frederic potesse fare. Il ragazzo misterioso era sparito. Guardò in giro, ma non lo vedeva da nessuna parte.

«Stai cercando qualcuno?» gli chiese la mamma.

«No, sto solo guardando la gente. Non conosco nessuno».

«Neanch'io. Ora bisogna andare a dormire».

«Prima posso bere una bibita?»

«Certo. Ti metto da parte qualcosa di buono e te lo porto su».

Con la scusa di avvicinarsi a un tavolo Frederic continuò a cercare tra la gente.

Poi lo vide, un po' spaesato ma anche molto incuriosito. Si era aggregato a un gruppo, ascoltava e ogni tanto si avvicinava al sigaro di un signore e, non visto, ne tirava un paio di boccate. Frederic prese per mano il ragazzo e lo portò via.

Prima di allontanarsi, l'altro ebbe però tempo di togliere un paio di occhiali a una persona e metterli a un'altra, causando un certo scompiglio; prese un cagnolino microscopico e lo infilò nella borsetta di una signora, che quando ci mise una mano dentro per prendere il telefonino venne morsa; e infine legò lo strascico dell'abito di Crudelia alla gamba di una sedia: quando lei si alzò per prendere un bicchiere di champagne il vestito le si strappò in modo a dir poco imbarazzante.

Andando verso camera sua, Frederic si azzardò a parlargli, sperando che nessuno notasse che stava parlando con il nulla.

«E se ti beccavano?»

«Non mi vedeva nessuno».

«E perché io sì?»

«Non lo so».

«Io sono Frederic. Tu?»

«Non lo so».

In camera c'era X con un vassoio pieno di tramezzini, un paio di fette di torta di mirtilli, una caraffa di succo d'arancia e un sorriso che fece vergognare Frederic di averle rovinato la serata.

«Scusa, mamma».

«Scusa, ma lo sai che non devi mai chiedermi scusa. Agli altri sì, a me mai».

«Hai ragione, scusa».

Lei rise, come sempre quando facevano questo gioco.

«Ora vado, papà ha bisogno di me, laggiù. Buonanotte amore mio. Vuoi la pomata *antimostri*?»

«Sì».

La pomata antimostri era un flacone di olio di mandorle con un po' di gocce di lavanda, che fin da quando era piccolo aveva il potere di tenere i mostri lontani dai sogni di Frederic.

X gli passò la pomata sulla fronte e sulle tempie.

«Ti serve qualcos'altro?»

«Per favore chiudi le tende che entra il buio».

X sorrise e chiuse le tende. Era questo un altro piccolo rito della famiglia: chiudere le tende quando arrivava la notte per non lasciare che il buio entrasse nella loro casa.

«Buon compleanno. Lo festeggeremo presto come si deve».

X gli diede un bacio in fronte, e lui fece appena in tempo a pensare che tutto sommato la vita non era così orribile, che di lei, in quella stanza, non restò che il profumo.

Il ragazzo era ancora lì, in silenzio. Sembrava molto incuriosito da X.

«Tu sei un bambino fortunato, credo».

«Non saprei».

«Tuo padre invece perché parlava con quella donna?»

«Cose di lavoro. Roba seria».

«Roba molto seria, sì. Però quando si è strappato il vestito è diventata molto meno seria, no?»

Frederic pensò che quel ragazzo misterioso gli stava simpatico.

Ora guardava fuori dalla finestra.

«Un altro fulmine?» chiese il ragazzo.

«Cosa?»

«L'albero. C'è stato un altro fulmine?»

«Sì, poco fa».

«È strano, qui».

«Dillo a me, che non ci volevo venire».

Il ragazzo rise.

«È buffo... Non ci sono mai stato qui, credo. Ma è come se in qualche modo me lo fossi immaginato. Forse ho sempre e solo visto questa casa da fuori, ma non me lo ricordo».

Frederic aveva sonno, ma raccolse le ultime energie e cercò di fare il punto della situazione.

«Allora, tu puoi decidere a chi essere visibile, tipo che a me sì e a mia mamma no. Giusto?»

«Giusto. Poi se guardavo la gente strizzando gli occhi riuscivo a vedere quello che c'era sotto i vestiti».

«Interessante».

«Dipende dalle persone, a dire il vero».

«Ok. E poi?»

«Poi non so. È tutto molto confuso. E perché non so chi sono?» Il ragazzo aveva un tono strano che gli fece un po' paura.

«È colpa di questa casa» disse Frederic. «Anch'io da quando ci sono entrato non so più bene chi sono».

Silenzio. Entrambi si misero a riflettere.

Frederic pensava: *In questi giorni ho avuto paura. Com'è che adesso non ho più paura? Anzi, è l'opposto. Ma qual è l'opposto della paura? Il coraggio? No, il coraggio serve a superare la paura. Ma che cos'è quello che si prova quando non si ha neanche un grammo di paura nel cuore? Esiste una parola per quella cosa lì? Forse quella parola è: felicità?*

Il ragazzo invece pensava: *Questo bambino ha un cuore così piccolo che le emozioni lo riempiono subito, l'ho sentito quando in un istante sono arrivate insieme tutte le emozioni del mondo, quando sua madre lo ha baciato. Ma allo stesso tempo ha un cuore così grande che lo sentivo battere dall'altra parte del muro.*

«Riesci a passare attraverso i muri?» chiese Frederic.

«Non lo so. Vogliamo provare?»

Il ragazzo guardò dritto davanti a sé. Si mise a camminare finché non arrivò con la faccia contro la parete. Rimase lì, fermo in quella posizione un po' ridicola.

«Non funziona» disse.

«Forse dovevi prendere un po' di rincorsa. Quando eri dall'altra parte del muro ci hai mai provato?»

«No».

«E perché?»

«Non mi era mai venuto in mente. Tu ci hai mai provato a passare attraverso un muro?»

«In effetti no. Di solito ti senti scemo, a provare cose impossibili».

«Già, ma è ancora più da scemi non provarci mai».

«Riproviamo» disse Frederic.

Il ragazzo tornò alla posizione di partenza e si preparò per una bella rincorsa.

«Allora...» disse serio Frederic. «Tre, due, uno... Via!»

Il ragazzo partì più veloce che poteva e la botta che prese fece tremare tutta la casa! Iniziarono a ridere così tanto che alla fine si trovarono tutti e due con le lacrime agli occhi e il fiato corto. Solo che uno dei due aveva un bel bernoccolo e il naso che sanguinava un po'.

«No, non sono capace a passare attraverso i muri» disse il ragazzo. «Ma aspetta, ho un'idea!»

E improvvisamente svanì. Dal nulla chiese: «Mi vedi, adesso?»

«No».

«Proviamo così».

La sua voce si allontanò verso la porta.

Dopo un po', Frederic sentì bussare. Aprì la porta, e dall'altra parte c'era il ragazzo, raggiante.

«Quando sono invisibile funziona».

«Entra, presto, prima che ci vedano».

Richiusa la porta, Frederic si avvicinò al cibo che non era ancora stato toccato.

«Anche se non sai chi sei e sai fare cose strane» disse «qui c'è parecchia roba buona. Vuoi assaggiare?»

Frederic divise per due tutto quello che gli aveva portato la mamma.

«Fantastico» disse il ragazzo. «Non mi ricordo l'ultima volta che ho mangiato così bene. Anzi, non mi ricordo proprio l'ultima volta che ho mangiato».

«Proviamo a riassumere» disse Frederic, «nessuno tranne me ti vede, giusto? Però puoi essere invisibile anche a me. E poi riesci a vedere le mutande della gente, giusto?»

«In effetti, vedo quello che c'è sotto le mutande, ma non importa».

«No, infatti. Che altro sai fare?»

«Non lo so».

Frederic si mise il pigiama.

«Purtroppo non ho niente da darti per la notte, andare a prenderne uno in camera di mio padre mi sembra un rischio troppo grande».

«Non ti preoccupare» disse il ragazzo, sedendosi per terra vicino al materasso. «Ma com'è che avete una casa così grande, piena zeppa di gente e non avete un letto vero?»

«Mica abitano tutti qui» Frederic rise. «Normalmente ci siamo solo io e i miei genitori».

Frederic gli offrì il suo materasso, ma il ragazzo disse che gli andava benissimo stare per terra.

Il mattino dopo era ancora lì.

9
UN AMICO CON I SUPERPOTERI

Era seduto a gambe incrociate e leggeva il libro sui pirati.

«Come stai?» gli chiese Frederic.

«Oh, mi è piaciuto tanto questo tipo che chiamavano L'Olonese. Pensa che un giorno ha tolto il cuore a un prigioniero spagnolo e se l'è mangiato. Secondo te è vero?»

«Io dei pirati mi fido».

«Allora anch'io».

«Da quanto tempo eri là, dall'altra parte del muro?»

Il ragazzo chiuse il libro. Aveva l'aria di uno che sta cercando qualcosa ma non si ricorda né che cosa né dove possa essere.

«Non ne sono sicuro ma non da tanto, mi sembra, non lo so».

Silenzio.

«Però... ho quelle sensazioni che ti dicevo ieri, molto vaghe, c'è parecchia nebbia qua dentro» e si diede un colpetto alla tempia «e si vede poco. Ma questa casa mi dice qualcosa. E quell'albero. Sapevo che era stato colpito da un fulmine, ma era tanto tempo fa. Mi piacerebbe vederlo da vicino e capire se mi torna in mente qualcosa. Ho anche voglia di fare due passi, mi sento i muscoli come se avessi dormito scomodo per tantissimo tempo».

«Che ne dici se prima di tutto facciamo colazione?»

Scesero. Già dalle scale sentirono profumo di caffè e pancake.

I genitori erano silenziosi ma sembravano di buon umore. Lei aveva ancora i capelli bagnati dalla doccia e lui stava cucinando.

«Possiamo apparecchiare per uno in più?» chiese Frederic.

«Ah sì? E chi abbiamo invitato, cucciolo?» replicò la mamma.

«Il Signor Windermere».

«Davvero?»

«Dice che è riuscito a trovare un biglietto e che là senza di noi stava troppo male».

«Questa è una buona notizia» commentò il padre, servendo con delicatezza l'ultimo pancake dalla pentola sul piatto dove una mezza dozzina di suoi simili stava fumando in attesa dello sciroppo d'acero. «E questa è un'altra buona notizia: buon compleanno». E tirò fuori da una tasca un foglio piegato in quattro, la ricevuta dell'acquisto su Amazon di una bicicletta.

Ecco qua. Finalmente era arrivata la bicicletta che da secoli desiderava, ed era proprio lei, del colore giusto, con le gomme e il sellino che piacevano a lui, senza parafanghi e con le luci e tutto quanto. La bicicletta dei suoi sogni, in consegna tra due giorni.

Però.

Però c'è differenza tra ricevere un regalo il giorno del tuo compleanno o due giorni dopo.

E c'è un'altra bella differenza tra una bicicletta nuova

fiammante su cui salire subito e la foto di una bici su un foglio col quale al limite ci puoi fare un aeroplanino in attesa del corriere.

E infine c'è un'enorme differenza tra avere due genitori che ti abbracciano stretto, ti dicono che ti vogliono bene, ti raccontano ogni anno i dettagli del giorno in cui sei nato e alla fine ti danno un regalo e vederli lì, un po' imbarazzati, ognuno per conto suo, ognuno che sta per fare qualcos'altro in cui tu non c'entri

Frederic non riuscì a provare nessuna gioia.

Suo padre gli diede un buffetto sulla guancia e andò nello studio.

Sua madre gli diede un bacio e fece l'elenco delle cose che andava a fare in centro, recuperò in giro le chiavi di casa, le chiavi della macchina, il telefono, il portafogli, un rossetto, una matita, una bacchetta cinese che usò per sistemare i capelli, la lista della spesa che aveva messo per sbaglio nella carta da riciclare, la borsetta e uscì.

Avevo ragione a preoccuparmi per loro, ieri sera, pensò Frederic.

«In effetti» disse il ragazzo.

«In effetti cosa?»

«In effetti ti sei preoccupato per loro a ragione».

«Ma non l'ho detto».

«Come no».

«No, l'ho solo pensato».

«Magari pensavi ad alta voce».

«Chi lo sa. Dai, che viene tutto freddo».

Mangiarono in dieci minuti, senza avanzare neanche mezzo cucchiaino di marmellata.

Ora erano di ottimo umore.

«Io devo andare a scuola».

«Posso venire con te?»

«In classe però è meglio che te ne stai invisibile e in silenzio».

«E se devo starnutire?»

«Ci inventeremo qualcosa».

Frederic si mise una giacca a vento e prese lo zainetto. Chiese al ragazzo se aveva bisogno di qualcosa da mettere addosso, ma lui rispose che stava bene così.

Appena il ragazzo mise piede fuori di casa, però, ebbe un mancamento che lo obbligò ad appoggiarsi allo stipite della porta, senza respiro.

10
UNA SFINGE TESTA DI MORTO

Frederic gli andò accanto e lo sostenne. L'altro recuperò l'equilibrio, spalancò la bocca e trasse un enorme respiro, a riempire completamente i polmoni come dopo una lunga apnea.

«Non stai bene?» chiese Frederic.

«No. No... tutt'altro. È che... Non lo so».

Fuori, il verde del parco scintillava di rugiada.

«È che sto bene» disse il ragazzo, felice. «Cavoli, non pensavo di poter stare così bene. Sto benissimo, è tutto bellissimo, grazie amico mio, non vedo l'ora di andare dappertutto e vedere tutto!»

Passando accanto all'albero, videro che dal taglio causato dal fulmine strisciavano fuori dei piccoli insetti, qualche larva, un paio di piccoli vermi. Facevano abbastanza schifo ma Frederic, che non era schizzinoso se non per i ragni, staccò un grosso pezzo di corteccia, rivelando una parte di tronco quasi completamente ricoperta da larve bianche e bavose.

«Non farlo più» disse l'altro.

«Sono solo insetti».

«Non mi piace».

In quel momento, una grossa falena sbucò da una frattura del legno: gialla, grigia e marrone e con una specie di teschio disegnato sul dorso. La falena emise un suono stridulo che gli fece accapponare la pelle.

«Una Sfinge Testa di Morto, così si chiama. L'ho vista in un documentario, se ero pronto la catturavo» disse Frederic.

«Sei esperto di farfalle?»

«No, solo di animali strani e di pirati».

La strada verso la scuola non era lunga: una camminata tranquilla, venti minuti a piedi di buon passo: Frederic con lo zaino in spalla, il suo amico incantato da quello che vedeva.

«Mi ricordavo tutto un po' diverso» disse a Frederic. «Anzi, alcune cose sono proprio sicuro di non averle mai viste».

Passarono davanti a un negozio di libri usati che non interessò a nessuno dei due; un negozio di alimentari di lusso; una gelateria con ingredienti così dichiaratamente sani che faceva venire il sospetto che non fossero buoni; un chiosco cinese coloratissimo nel quale il ragazzo volle a tutti i costi entrare.

Era molto difficile per Frederic riuscire a parlare con il suo nuovo amico: ogni cosa, ogni suono, ogni persona lo distraevano.

No, a dire il vero quella non era distrazione.

Era meraviglia.

«Il mondo è diventato un circo» disse il ragazzo.

A Frederic sembrò un buon modo di definire le cose, anche se non vedeva in giro né domatori di tigri né pagliacci.

C'era un elicottero rosso che passava basso sopra i

tetti della città. C'era una pubblicità gigantesca con la fotografia di una ragazza in costume da bagno che ricopriva l'intera facciata di un palazzo. C'era un grattacielo di vetro splendente, in costruzione. C'erano dei poster che annunciavano per il giorno dopo un concerto rock di Marilyn Manson. C'era una coppia di ragazzine col velo islamico che sfrecciavano silenziose su monopattini elettrici. C'era una miriade di persone che non guardavano dove andavano perché era troppo impegnati col loro telefono.

Ogni istante il ragazzo chiedeva qualcosa a Frederic, e non c'era quasi mai tempo per una risposta che una nuova domanda più importante arrivava. E così nessuno dei due si accorse di essere in mezzo alla strada e che stava arrivando un tram. All'ultimo istante, il ragazzo riuscì a spingere via Frederic che vide l'amico scomparire travolto dall'enorme massa del mezzo.

Una signora gridò terrorizzata, e una bambina piccola si mise a piangere.

Il tram frenò con uno stridio assordante sparando scintille dappertutto.

Il mondo si fermò.

Frederic non ebbe il cuore di guardare e rimase lì, con lo sguardo perso nel vuoto.

Il conduttore del tram scese e guardò dappertutto, senza alcun risultato.

«Sono qui».

Un filo di voce. Era il ragazzo. Pallido, con gli occhi sgranati.

Era sul marciapiede accanto a Frederic. La gente continuò a guardare per capire che cosa fosse successo, la bambina smise di piangere, il conduttore del tram si mise a sgridare il ragazzo per essere passato così vicino al mezzo da avergli fatto credere di averlo investito, poi risalì a bordo e ripartì.

Il mondo riprese a girare.

«Mi è passato attraverso» disse con un filo di voce il ragazzo.

Stava evidentemente bene ma era altrettanto evidentemente scombussolato.

«Dico davvero: mi è passato attraverso. E non mi ha fatto niente».

«E com'è stato?» chiese Frederic.

«Era tutto freddo e caldo. Ho sentito l'energia del motore, il movimento delle ruote... il ferro, la plastica, l'acciaio, la benzina, poi le persone: ho sentito i pensieri delle persone. Tutti i pensieri».

Senza che Frederic potesse dir nulla, il ragazzo gli prese la mano e continuarono per la loro strada.

È stato terribile, pensò Frederic.

«È stato bellissimo» disse il ragazzo, ritrovando uno dei suoi sorrisi.

Anche Frederic pensò che era bellissimo: aveva trovato un amico.

Ora doveva solo andare a scuola e affrontare il suo destino di studente sfigato di prima media.

Sarebbe stata dura, come sempre.

Ma questa volta non era solo.

11
LA SCUOLA MEDIA

Scuola Media Gianni Rodari, via San Francesco d'Assisi 18, in pieno centro, poco oltre lo spiazzo che ospitava il capolinea del tram che aveva investito (o *non* investito, a essere precisi) il ragazzo.

Un palazzone giallo, ristrutturato una mezza dozzina di volte ma sempre peggio, poi forse ci avevano rinunciato e lo avevano lasciato andare così, alla deriva nella città. Stava gomito a gomito con un supermercato economico e con uno stabile di uffici abbandonato.

Una scalinata imponente portava all'ingresso, ampiamente graffitato da generazioni di studenti.

Da lì in poi per Frederic si andava nella città dolente.

Nemico numero uno: Tommygun e i suoi amici, che si divertivano a vessare i più deboli. E l'attuale *top tre* dei deboli era occupata dal piccolo Ben, da Liz con gli occhi viola e purtroppo dal nuovo arrivato dall'America.

A seguire: i professori che sembravano dei sonnambuli quando spiegavano e dei vampiri quando interrogavano; i compagni che non sedevano mai accanto a lui in mensa e che lo prendevano in giro perché sua madre gli preparava delle ecologicissime merende di cetrioli e carote e non gli lasciava mai prendere patatine o tramezzini confezionati; i temi che uscivano dalla sua penna molto lentamente, con un sacco di parole che venivano fuori in inglese e non era facile tradurle e alla fine tutto questo rendeva strani e contorti i suoi pensieri; l'ora infinita dell'intervallo, passata al banco in classe a disegnare o a fare i compiti, tanto nessuno giocava con lui né gli rivolgeva la parola.

Liz e il piccolo Ben se ne stavano anche loro da parte, impegnati a farsi notare il meno possibile, quasi trattenendo il fiato dalla campanella di ingresso a quella di uscita. Parlavano poco (anzi, il piccolo Ben non parlava proprio), cercavano di non guardare negli occhi le persone dalle quali non volevano essere visti.

A proposito del piccolo Ben, sapete come smise di parlare?

12
LA STORIA DEL PICCOLO BEN

Il piccolo Ben quando era piccolo parlava eccome. Poi da un giorno all'altro: silenzio.

I suoi genitori gli volevano molto bene ed erano delle gran brave persone, a parte il fatto che erano dei delinquenti: rubavano da anni macchine e motorini e li rivendevano a gente che li portava nell'Est Europa.

Quando Ben era in quarta elementare, dopo anni di indagini, la Polizia riuscì a mettere insieme sufficienti prove per arrestarli. E così fecero, una mattina all'alba, mentre tutti dormivano tranquilli in casa.

Mamma e papà vennero condannati a cinque anni di prigione.

Il piccolo Ben fu affidato ai nonni e dal giorno in cui vide i suoi portati via in manette dalla Polizia si rese conto che sarebbe stato impossibile trovare le parole per esprimere quello che provava e dunque smise di parlare.

Ecco, questo spiega perché il piccolo Ben, in questa storia, non dice proprio niente.

13
IO ODIO LA PRIMA MEDIA

«Che faccio, invisibile o no?» chiese il ragazzo.

«Invisibile. Ma non per me» rispose Frederic.

Che strana e bellissima sensazione avere accanto una persona che poteva vedere solo lui. Si accorse di non essere più fatto come di vetro sottile, che ogni urto ti manda in pezzi.

Entrò in classe seguito dall'amico invisibile, e andò al suo banco.

La scuola media era una terra di mezzo tra l'infanzia della scuola elementare e il mondo *adulto* delle superiori, piena di pericoli, con regole mai chiare e che cambiavano continuamente. C'erano compagni che giocavano ancora coi soldatini nell'intervallo e altri che andavano in cortile a fumare. Il giorno in cui aveva visto uno che giocava coi soldatini mentre fumava, ecco, lì aveva capito che non c'era proprio nulla da capire alla scuola media: c'era solo da sopravvivere per arrivare *vivo* alla fine del terzo anno.

A scuola c'era anche, purtroppo, il professor Visconti, professore di italiano.

Quarantacinque anni, alto, baffuto, sempre elegante con le sue cravatte a farfallino, le bretelle e quell'orologio da taschino, un Rolex dell'esercito britannico del 1939 di cui andava orgogliosissimo. Metteva e toglieva ossessivamente un paio di occhiali pieghevoli, e controllava se la sua pettinatura fosse sempre come doveva essere: impeccabile.

Frederic aveva incrociato Liz nel corridoio.

«Brutte notizie per voi primini» disse. «Ho sentito dire che il professor Visconti oggi vi farà un'interrogazione in profondità».

Il che voleva dire che due malcapitati avrebbero dovuto subire un'ora intera di fuoco di fila su tutto il programma. Una cosa di solito straziante che lasciava tutti disperati.

Il professor Visconti era bravissimo a spiegare la letteratura: con lui era come vedere un film, come giocare con la Playstation, capivi tutto quello che c'era da capire e non vedevi l'ora di sapere come andava a finire.

Però era cattivo. Ma cattivo vero. Era capace di dare come punizione temi con titoli tipo *Un cesto di frutta che non ho voglia di mangiare sul tavolo di casa mia*, *Una cosa che mi è piaciuto fare ma che ho dimenticato* o *La lettera che vorrei spedire a una persona di cui sono innamorato ma che non avrò mai il coraggio di scrivere*. Chi non li faceva si prendeva un quattro, difficilissimo da recuperare. Poi fingeva di non ricordare mai il nome degli allievi, e li chiamava con appellativi feroci tipo «ehi tu ciccione», «tappo» o «lecchino». Se ti beccava a scarabocchiare il quaderno mentre spiegava ti prendeva la penna e la lanciava dalla finestra. Una volta aveva costretto un alunno a *cantare* una poesia perché non l'aveva imparata a memoria.

Nel caso di Frederic, gli faceva il verso ogni volta che

sbagliava la pronuncia di una parola italiana, e lo vessava obbligandolo a imparare a memoria il doppio delle cose degli altri: solo così, sosteneva, avrebbe potuto salvarsi dall'abisso di ignoranza in cui giaceva essendo nato negli Stati Uniti. Poi gli faceva leggere i temi in piedi e ad alta voce, e spesso lo derideva, trascinando con la sua risata tutta la classe. E infine sosteneva che quel nome, Frederic Henry, scelto dal padre in omaggio al suo personaggio romanzesco preferito, il protagonista di *Addio alle armi* di Ernest Hemingway, fosse una cosa a dir poco ridicola.

(Forse avrete notato che Frederic aveva il cognome della madre e non quello del padre, Ferrari: avevano scelto così proprio per via del romanzo e anche per dargli un nome da americano, essendo americano. Se lo avevate notato, bravi.)

Si scommetteva che un giorno sarebbe arrivato qualcuno dal ministero dell'Istruzione e gli avrebbe vietato per sempre qualunque occupazione che avesse a che fare con la didattica, ma nel frattempo lui se ne stava lì, a terrorizzare il mondo.

Il professor Visconti, però, aveva un punto debole: era perdutamente innamorato della professoressa di matematica Anna Maria Visconti (stesso cognome, ma non erano parenti), neo laureata, esile come un giunco, occhi verde mare e capelli neri come la notte che sbucavano *splendenti* da sotto il velo: anche se aveva un nome italianissimo era di origini marocchine. A lei però di lui non importava niente, essendo felicemente fidanzata con un giocatore di rugby.

Frederic la sera prima si era dimenticato di ripassare per via di tutte le cose che erano successe, e così piuttosto che rischiare optò per la soluzione meno onorevole: andò dritto alla cattedra per implorare il professor Visconti di giustificarlo per via del trasloco, e arrivò a usare termini come «la supplico» o «abbia pietà di me».

Il professore ascoltò imperturbabile e gli disse di rimanere lì alla cattedra e si mise a studiare il registro. Gli altri studenti, a testa bassa, cercavano di apparire disinvolti fingendo di legarsi una scarpa o di cercare qualcosa in fondo allo zainetto e intanto sotto il banco tenevano le dita incrociate.

Quanto tempo passò? Un anno? Due? La sensazione era che fuori dalla finestra le stagioni cambiassero, che l'inverno lasciasse il posto a un sole cocente, che la notte si alternasse al giorno.

Infine, il professor Visconti con una voce che risuonò come un tuono nel silenzio assoluto della classe pronunciò il nome della sua prima vittima.

«Frederic Henry stai pure qui, interrogo te».

Venticinque sospiri di sollievo.

«Vai alla lavagna».

Frederic vide il suo amico invisibile che gli faceva un gesto di incoraggiamento.

«Sono stato interrogato alla lavagna dal professore che si è molto divertito per la mia scena penosa» disse il professore.

«Mi scusi?» Frederic non capiva che cosa dovesse fare.

«Scrivi questa frase: 'Sono stato interrogato alla lavagna dal professore che si è molto divertito per la mia scena penosa'. E fai l'analisi grammaticale».

Cavoli, l'analisi grammaticale!

Frederic scrisse con una lentezza esasperante la frase alla lavagna, nell'assurda speranza di guadagnare tempo, ma non aveva la minima idea di quale fosse l'analisi grammaticale corretta di quella frase, né in italiano né in inglese.

«Allora, ci diamo una mossa?» disse spazientito il professore.

Frederic guardò a lungo la frase, cercando di ricordare quello che in realtà non sapeva. Gli venne in mente che «sono stato interrogato» era una cosa sola, era un verbo, ma esistevano i verbi di tre parole? Senza sapere dove sarebbe andato a parare, iniziò con un tono di voce funereo a ripetere le parole che aveva scritto: «Sono stato interrogato… verbo. Sì, verbo, voce del verbo essere…»

Il professore scosse la testa e si mise a ridere.

«Sì, certo come no. Incominciamo bene».

E si mise a ripetere la frase di Frederic con un accento molto più simile a quello di Paperino che a quello del suo allievo. La classe, felice di non essere lì a soffrire alla lavagna, rise di rimando.

Frederic stava sottolineando nervosamente col gessetto le tre parole iniziali quando il suo amico invisibile gli arrivò accanto e gli disse piano all'orecchio: «Voce del verbo interrogare, prima coniugazione, modo indicativo, tempo passato prossimo, prima persona singolare, transitivo, forma passiva».

Frederic senza pensarci un secondo ripeté tutto.

Il professore stava scarabocchiando su un foglio la figura di un bambino impiccato ma si fermò, perplesso.

«Ah sì? E poi?»

«'Alla', preposizione articolata» disse il ragazzo invisibile. E Frederic ripeté.

«Vai avanti». Il professore era mortalmente serio, con un accenno di rossore alle guance.

Frederic e il suo amico andarono avanti passo passo senza sbagliare un colpo. La penna del professore era rimasta incollata al foglio, e dove prima c'era la testa del piccolo impiccato con gli occhi fatti a croce ora c'era una macchia di inchiostro blu che si stava espandendo a vista d'occhio.

Alla fine Frederic, ormai euforico, disse tutto d'un fiato: «'Si è molto divertito': voce del verbo divertirsi, terza coniugazione, modo indicativo, tempo passato prossimo, terza persona singolare, transitivo, forma riflessiva. 'Si': pronome personale complemento riflessivo di terza persona plurale, forma debole. 'Molto': avverbio di quantità.

Il professore posò con stizza la penna e guardò Frederic a lungo. Com'era riuscito, quel bambino sfigato e ignorante a fargliela proprio sotto al naso? Non riuscì a dire altro che: «Interrogazione finita. Aprite il quaderno. Tema».

Frederic non ebbe il coraggio di chiedergli il voto e andò al banco, leggero come una piuma.

In poche ore il suo amico gli aveva salvato la vita due volte! I due si scambiarono il cinque e il ragazzo se ne andò in fondo alla classe, con un bel sorriso.

I compagni di Frederic erano così stupiti di averlo visto affrontare così brillantemente un'analisi grammaticale che non si meravigliarono più di tanto di vederlo dare un cinque al nulla.

A fine lezione il professore se ne andò via senza salutare. Il ragazzo invisibile lo seguì, e anche Frederic uscì dalla classe. Appena il professore sbucò nel corridoio, vide la collega Anna Maria Visconti, mise via il suo umore nero e preparò uno dei suoi sorrisi migliori. Peccato che non appena ebbe detto «Buongiorno signorina, oggi la trovo più elegante del solito», il ragazzo invisibile gli si affiancò e lasciò partire una scorreggia potentissima.

Non essendoci nessuno di visibile lì oltre a loro due, la professoressa non riuscì a nascondere un moto di stupore, poi abbassò lo sguardo ed entrò imbarazzata in classe. Il professore si rifugiò in sala professori a meditare se impiccarsi subito o se andare fino a casa e farlo con calma.

La giornata cominciò a rotolare giù come una valanga: Frederic riuscì persino a vincere una partita di calcio. Lui che veniva sempre scelto per ultimo nella formazione delle squadre e poi veniva incolpato, spesso giustamente, dopo le partite perse. Non era ancora a scuola da una settimana che già lo avevano chiuso in un armadietto degli spogliatoi con dentro i calzini sporchi e sudati di tutta la squadra per ricordargli che a nessuno lì piaceva perdere.

Quel giorno, riuscì a fare addirittura quattro dei cinque goal che portarono il risultato finale a un inaspettato cinque a tre.

Il primo fu un tiro da centrocampo sparato a casaccio che una mano invisibile prese e fece andare dritto all'incrocio dei pali, sotto gli occhi increduli del portiere.

Il secondo fu particolarmente spettacolare: Frederic, solo davanti alla porta, venne sollevato da una forza invisibile che gli fece colpire la palla in sforbiciata e mandarla in porta. Roba del genere, i suoi compagni l'avevano vista fare solo da Cristiano Ronaldo.

A questo punto, i compagni gli fecero tirare un calcio di rigore.

Frederic fece un tiro di punta scoordinato e centrale ma al portiere improvvisamente cedette l'elastico del calzoncini che precipitarono a terra. La palla affondò nella rete.

Il morale di Frederic era così alle stelle che a un certo punto rubò la palla nella sua tre quarti campo e partì in avanti, scartando tutti gli avversari, portiere incluso. E questa volta il suo amico non ebbe neanche il tempo di dare una mano: fu tutto merito suo. Insomma, fu un trionfo, i compagni lo abbracciarono e gli chiesero anche scusa per l'increscioso episodio dell'armadietto.

(In effetti questa partita non fu del tutto regolamentare, anche se a dire il vero non c'è scritto da nessuna parte nel regolamento del gioco del calcio che è vietato l'aiuto di una persona invisibile, controllate e vedrete.)

Tornati in classe con l'adrenalina a mille, i due improbabili amici ebbero qualche difficoltà a tenere la situazione sotto controllo.

Approfittando del ritardo del professore di tecnologia, il ragazzo si rese visibile, si presentò come supplente, si sedette alla cattedra e si fece portare uno zainetto da una delle ragazzine della prima fila.

«Come ti chiami, bambina?» le chiese.

«Valentina».

«Valentina, tu ami moltissimo i coniglietti, vero?»

La bambina lo guardò stupita: come faceva a saperlo? Ma prima che lei dicesse qualcosa, lui infilò la mano nello zainetto e ne tirò fuori un bellissimo coniglietto bianco che consegnò a una felicissima Valentina.

«Questa classe mi sembra un po' triste» continuò il ragazzo, «con 'sti muri color topo. Vediamo un po'...»

Con uno schiocco di dita fece diventare le pareti verde smeraldo, poi blu cobalto, rosso fuoco, a strisce gialle e arancioni e infine con dei motivi geometrici complicatissimi composti da spirali colorate che giravano davvero.

Fu a questo punto che partirono gli applausi.

Quando entrò in classe il professore di tecnologia le pareti tornarono al loro colore originale e il ragazzo scomparve. Il professore, incredulo di essere stato accolto con un applauso, ringraziò commosso.

Il ragazzo invisibile si sedette per terra accanto al banco di Frederic.

All'intervallo, Frederic andò a cercare Liz e, assieme a Ben, si diresse verso il laboratorio di informatica. Una volta sicuro che non ci fosse nessuno disse: «Dai, fatti vedere».

E il ragazzo si materializzò.

«Ciao ragazzi, non offendetevi se non mi presento, ma non so come mi chiamo. Sono un amico di Frederic. Ci conosciamo da parecchio tempo, cioè, sì, insomma, da ieri sera. Ma è come se fosse un sacco di tempo, davvero».

I due compagni di Frederic lo fissarono a lungo. Poi Liz andò verso la porta, dicendo: «Occhio, Freddie: qui non siamo in America dove vale tutto, qui siamo in Italia e non crediamo in niente: è solo un effetto speciale da quattro soldi».

Frederic si frappose tra lei e la porta: «Davvero, è una cosa che nessuno di noi sa spiegare. Ma giuro che è arrivato ieri sera e stamattina mi ha anche salvato la vita».

«Bravo. Complimenti. Ora vado che mi viene da ridere».

Frederic sapeva bene che era una storia strana e lasciò che Liz uscisse nel corridoio. Gli dispiaceva, sentiva che l'opinione di quella ragazzina era importante. Non sapeva perché, ma era certo che fosse una di quelle cose che il futuro gli avrebbe spiegato.

«Simpatica, però» disse il ragazzo, poi guardò Ben. «E tu che ne pensi, piccoletto?»

Prima che Ben potesse non rispondere, Frederic spiegò: «Non parla, lui».

«Muto?» chiese il ragazzo.

«No. Ha solo smesso».

Il piccolo Ben annuì. Poi indicò il ragazzo e fece il segno del pollice in alto e se ne andò anche lui.

«Perché hai voluto che loro mi vedessero?» chiese il ragazzo.

«Perché sono miei amici. Cioè, quando sono con loro, anche se il massimo del divertimento è sfuggire ai bulli, ho la sensazione che la cosa giusta sia stare assieme».

Il ragazzo sorrise, tutto sommato quel piccolo mondo gli piaceva.

«Propongo di andare a festeggiare questa strana avventura da qualche parte. Questa città mi sembra piena di cose interessanti».

«Sì, però qui a scuola è meglio stare tranquilli».

Una volta nel corridoio, però, il ragazzo con un solo tocco della mano fece cambiare i capelli della professoressa di francese Bertonillo da bianco candido a rosso fuoco. Quando, pochi metri dopo, lei si vide riflessa in una vetrata ebbe un mancamento.

«Ho detto 'tranquilli'» disse serio Frederic.

«Scusa, mi era sembrata una buona idea».

«Non lo era».

«Ho chiesto scusa».

Durante l'ultima ora di lezione, il ragazzo se ne stette a guardare dalla finestra finché Roberto Ammazzasette prese di nascosto il portapenne di Frederic e gli spezzò in due tutte le matite e le penne e, come se niente fosse, si mise tranquillissimo a mangiarsi un panino alla marmellata.

Il ragazzo se ne accorse e fece sbucare dal panino un bel rospo, viscido e gracidante.

Con un urlo Roberto lasciò andare l'animale, che seminò scompiglio fra i banchi e poi venne fatto uscire da una finestra. Immediatamente la classe fu invasa dall'ilarità, e ci si iniziò a chiedere se quella fosse la dieta base di casa Ammazzasette. Roberto minacciò di morte due o tre compagni e l'emergenza rospo rientrò.

«Lo so che c'entri tu» sibilò a Frederic. «E me la pagherai».

Quando arrivò il suono della campanella, Frederic fu in qualche modo sollevato: si era reso conto che finché non hai scelta è facile, sei quello che deve ubbidire, sei quello che se le prende, sei quello che vogliono che tu sia. Ma quando hai il potere, o il superpotere, di cambiare le cose, ecco, lì devi essere bravo a capire qual è la cosa giusta da fare.

Ma Frederic era ancora un bambino, anche se preferiva essere definito ragazzino, e questo pensiero durò poco, presto superato dagli eventi che se ne stavano in agguato dietro l'angolo.

Anzi, a dirla giusta, l'agguato non era dietro l'angolo.

L'agguato era in fondo al vicolo.

14
LA GRANDE FUGA PARTE SECONDA

Il sasso colpì Frederic alla tempia, un po' di striscio ma abbastanza da fargli un taglio. Il male arrivò come una scossa elettrica e Frederic si ritrovò con gli occhi pieni di lacrime. Gli sembrava che il mondo girasse e si rese conto che stava crollando a terra.

Il ragazzo lo sostenne e istintivamente lo abbracciò. Un secondo sasso arrivò veloce, ma il ragazzo lo vide e fu velocissimo ad acchiapparlo al volo.

Frederic cercò le possibili vie di fuga e si accorse di essere in un vicolo cieco. Visto da fuori non era che un ragazzino solo in un vicolo dove non passava nessuno. Un'occasione d'oro per i bulli della scuola.

«Stai bene?» gli chiese intanto l'amico, che continuava a proteggerlo con un abbraccio.

«Mi fa malissimo» rispose Frederic, con la voce rotta. «Dobbiamo andare via di qui, subito».

«Nessuno se ne va da nessuna parte, adesso». Era Tommygun. Aveva un sasso in mano. E accanto a lui c'era Roberto Ammazzasette, con la faccia paonazza di rabbia. E il resto della banda, che si stava lentamente disponendo in cerchio attorno a Frederic.

I bulli di solito sapevano bene quando fermarsi, prima di fare davvero del male alle loro vittime e finire nei guai seri. La loro specialità era terrorizzare a morte. Ma questa volta la cosa gli era sfuggita di mano.

«Ecco qua il nostro amico sfigato. E stupido, anche» disse Tommygun. «Oggi hai esagerato. Ti sei fatto notare un po' troppo. E poi hai avuto la bellissima idea di spaventare il mio amico Roby davanti a tutti».

«Non ero spaventato, Tommy, è che mi faceva schifo sentire quella bestia sulla bocca» si difese l'amico.

«Questo qua ha bisogno di una lezione».

«Sì» intervenne Veronica, la dark. «Voi dovete capire che è meglio starvene nascosti nelle vostre tane sfigate con i vostri amici sfigati a fare i vostri giochi sfigati e basta».

Poi, presa dall'entusiasmo gli mollò un possente calcione con i suoi anfibi, facendolo volare a terra. In attesa di altri calci Frederic si rannicchiò istintivamente in posizione fetale e prima di vedere da dove arrivassero le botte cercò lo sguardo del suo amico.

Improvvisamente le cose cambiarono. Il ragazzo tornò visibile e mandò a terra chi stava colpendo Frederic, poi lo aiutò a rialzarsi.

«Adesso basta, dai, andiamo» disse.

«E questo qui da dove è sbucato?» chiese Roberto.

«Eh? Chi cavolo sei, tu? Suo cugino? La sua guardia del corpo? L'insegnante di sostegno per questo ritardato? O sei un ritardato come lui solo un po' più vecchio?» Tommygun in punta di piedi sparò la sua raffica di parole dritta in faccia al ragazzo.

«Lasciateci in pace e andatevene» replicò calmo lui. Nel frattempo si erano di nuovo avvicinati anche i due che aveva mandato gambe all'aria.

«Mi hai rovinato il vestito nuovo, imbecille» disse con una smorfia di disgusto Caterina. «Me lo dovrai ripagare, lo sai?»

Senza sprecare tempo, Veronica gli sparò un pugno da pugile professionista, ma il ragazzo lo bloccò senza alcuno sforzo e trattenne la mano della ragazzina con una forza tale che lei non riuscì a divincolarsi per quanti sforzi facesse. Poi aprì le dita e la lasciò, lei si allontanò di qualche passo lanciando insulti e imprecazioni.

«Lasciateci andare, non vi abbiamo fatto niente» ribadì il ragazzo.

Ma Tommygun non mollava.

«Sei interessante, tu. E non ti abbiamo mai picchiato prima, potrebbe essere molto divertente».

Ma prima che il suo pugno partisse, il ragazzo gli fece un gesto come dire 'aspettate' e guardò gli assalitori uno per uno.

Il vicolo era sempre deserto: c'era solo un gatto che assisteva alla scena dall'alto di un cassonetto pieno di rifiuti.

«Guardate» disse il ragazzo, serio.

Si portò le mani alla bocca, con la destra si agganciò la mascella e iniziò a tirare verso il basso, con la sinistra fece presa sull'arcata superiore e iniziò a tirare verso l'alto. Dalla bocca uscì la testa di un mostro dalla pelle di rettile e dalle fauci bavose e terrificanti. La bestia uscì quasi completamente dal corpo del ragazzo, la pelle grigia e coperta da una sostanza gelatinosa, e lanciò un verso di sfida così forte che le facce dei ragazzi si deformarono per la quantità di aria che ricevevano addosso. Dalla bocca partivano anche getti di bava calda che finirono addosso a tutti quanti, che rimasero lì, pietrificati dal terrore.

Così com'era apparso, il mostro se ne andò.

Finito il frastuono, Frederic vide che l'amico era tornato normale, e aveva un'aria soddisfatta.

Tommygun cominciò a sputacchiare un bel po' della bava del mostro.

Roberto era immobile, sudato fradicio.

Scheggia e Bluboy se l'erano evidentemente fatta addosso.

Veronica tremava da testa a piedi.

Caterina fece qualche passo indietro, poi vomitò.

«Adesso andatene via» disse solo l'amico di Frederic, con un filo di voce.

I sei ripartirono come missili, senza dire nulla, e sparirono in un batter d'occhi. Frederic scoppiò a ridere. Anche il ragazzo si mise a ridere di gusto.

Quando riprese fiato, Frederic gli chiese: «Ma come hai fatto?»

«Non ne ho idea» rispose il ragazzo. «Spero di non aver esagerato».

«Credo che per un po' mi lasceranno in pace».

«Lo credo anch'io».

«Ora è meglio che andiamo a casa anche noi, si sta facendo tardi. È quasi buio».

«Buio?»

In effetti il cielo era diventato scuro, coperto da nuvole nere arrivate all'improvviso. Sembrava che avessero oscurato il sole mettendoci uno spesso drappo nero.

«Sì, meglio andare a casa» disse Frederic. Improvvisamente tutti i rumori svanirono.

La strada, le auto, la gente.

Frederic provò a parlare, ma la voce non si sentì.

Sul vicolo erano calate le tenebre ed erano immersi in un silenzio perfetto.

15
IMMAGINATE UN SILENZIO PERFETTO

Ci siete riusciti?

Questo silenzio perfetto è un annuncio.

È l'annuncio che le tenebre stanno arrivando a prendervi.

16
ENTRA IL BUIO

E poi ci fu la puzza. Gli calò addosso come un'enorme ragnatela, ed era puzza di morte.

Dalla parte più in ombra di un cassonetto, cominciò a uscire qualcosa.

Qualcosa di liquido e nero denso come il petrolio, in alcuni momenti, in altri sembrava fumo. Poi un'ombra in movimento, l'ombra di una mano carbonizzata, la mano di una mummia con le bende intrise di pece che colava o forse non era pece, quella, era la sostanza stessa della cosa che stava strisciando fuori dal cassonetto a trasudare dalle bende, nere anch'esse...

Sembrava un corpo umano, o un corpo che era stato umano.

Qualcosa di spaventoso.

Qualcosa di malvagio.

Una mano, un braccio, ed ecco una testa nera e scarnificata, senza occhi ma che subito si volse verso Frederic e il ragazzo, che erano come ipnotizzati da questo spettacolo macabro e ripugnante.

La creatura uscì lenta dal cassonetto e rimase lì ad aspettare. Quando aprì la bocca, senza emettere alcun suono, un vecchio tombino di ferro non troppo lontano si spaccò e ne emerse una seconda creatura che ansimava come un vecchio ma allo stesso tempo emanava la stessa forza di un leone affamato che si avvicina a una mandria di antilopi.

Da una porta di una casa disabitata arrivò una terza creatura. La luce del giorno era quasi svanita e di questi corpi che sembravano carbonizzati e fradici di liquame nero si riusciva a cogliere una forma solo attraverso il movimento.

Il silenzio era assoluto.

L'aria ormai irrespirabile.

Il cielo nero.

Improvvisamente iniziò a nevicare.

Fiocchi grandi che scendevano lenti.

Neri.

Ma non era neve.

Erano insetti morti, migliaia e migliaia di insetti morti con le ali spiegate, che scendevano piano piano e si posavano a terra senza un suono.

«Ho una gran brutta sensazione» disse il ragazzo, serio.

«Che facciamo?» Frederic era esausto e sentiva che si stava avvicinando quel momento terribile in cui la mente si chiude e non provi più niente.

Improvvisamente tutti i suoni della città tornarono, ma distorti, amplificati, pieni di eco. Facevano male alle orecchie.

E apparve una quarta creatura.

Camminava lentamente avvolta in un sudicio mantello sbrindellato. Era più alta delle altre, più massiccia e aveva gli occhi rossi, dai quali colavano lente lacrime nere.

Aprì la bocca e mostrò delle zanne spaventose: sembravano quelle di uno squalo, con più file di denti, pronte a strappare a brandelli più che a mordere.

La creatura si fermò e guardò la coppia nel vicolo. Allungò una mano, col palmo verso l'alto, e lasciò che un po' di insetti le nevicassero addosso. Parlò, quasi tra sé, come se stesse dicendo una preghiera.

«Neve su neve. Neve su neve, nel pieno di un cupo inverno, tanto tempo fa».

Era una vecchia canzone di Natale, ma né Frederic né il ragazzo la conoscevano.

La creatura li scrutava con un'intensità feroce.

«Siete voi quelli di cui parlano?»

La sua voce era bassa e faceva venire la nausea: distorta e potente.

Gli si avvicinò di un paio di passi, sempre protetta dalle tenebre.

«Siete voi?»

Silenzio.

«Siete voi?» Sempre con lo stesso tono.

E intanto continuavano a piovere insetti: per terra qualcuno agitava ancora per qualche istante le zampette.

«Siamo noi chi?» rispose infine il ragazzo.

La creatura proseguì come se niente fosse: «Siete voi?» E continuava a studiarli, con un misto di curiosità e minaccia.

Il ragazzo si rivolse a bassa voce a Frederic, sempre tenendo d'occhio le quattro creature nere: «Qui ci conviene darcela a gambe».

«Sono d'accordo».

Frederic guardò nelle due direzioni possibili: da una parte il vicolo finiva contro un muro, solo un vecchio portone di legno sovrastato da un'insegna di un'antica farmacia chiusa da sempre. Dall'altra si accedeva a una piazzetta che in un attimo portava alle vie pedonali del centro.

Peccato che le creature bloccassero l'unica via di fuga.

Sembrava impossibile che a pochi passi da lì ci fosse una città normale, con la sua gente normale impegnata in faccende normali.

La creatura si asciugò gli occhi con calma. Si pulì anche la bocca, dalla quale avevano iniziato a colare rivoli di bava scura.

Si chinò leggermente, flettendo i muscoli. Si stava preparando per l'attacco.

«Andiamo» sussurrò il ragazzo a Frederic.

E nel momento esatto in cui la creatura balzava con tutta la sua forza su di loro, Frederic e l'amico partirono alla massima velocità verso il fondo cieco del vicolo.

Apparentemente stavano procedendo come pazzi contro un muro, e questo diede loro un piccolo vantaggio nei confronti degli inseguitori, che si aspettavano una fuga nella direzione opposta. Ma fu solo questione di pochi secondi perché, obbedendo a un cenno del loro capo, le tre creature partirono al loro inseguimento.

Correndo come forse mai aveva corso in vita sua, Frederic puntò dritto al portone alla fine del vicolo. Si fidava del suo amico, ma non aveva la minima idea di come avrebbero potuto cavarsela, arrivati laggiù.

Correndo come se davanti a sé ci fosse un infinito campo libero, il ragazzo disse a Frederic: «Occhio che quando arriviamo al portone divento invisibile e ti prendo in braccio!»

«E se non funziona?» ribadì lui.

«Funzionerà!»

E intanto il portone chiuso si avvicinava rapidamente a loro, così come si avvicinavano le tre creature nere, che si erano rivelate agili come predatori feroci.

A un paio di metri, quando le creature già gli stavano artigliando la schiena, il ragazzo gridò: «Ecco, adesso!»

E senza decelerare svanì alla vista, prese F e si buttò con una spallata contro il portone... che non oppose nessuna resistenza e i due passarono!

Ruzzolarono per terra in una stanza polverosa e debolmente illuminata da un lucernario mezzo coperto da foglie secche. Mentre rotolavano per terra, sentirono i tonfi violenti delle creature che si schiantavano contro il portone.

«Ha funzionato!» esultò Frederic, che non riusciva ancora a credere di aver vinto quella scommessa col destino. Poi lui e il ragazzo si rialzarono e videro che erano finiti proprio in una farmacia abbandonata: vecchi e polverosi scaffali che ospitavano vecchi e polverosi contenitori di ceramica sui quali erano scritti a mano nomi misteriosi: *Artemisia Absinthium*, *Laudanum Elixir*. Senza esitare partirono di corsa verso l'uscita. Non c'era tempo da perdere: da fuori stavano cercando di sfondare la porta con furia bestiale.

Passarono in un grande magazzino pieno di scatole e scatoloni e ragnatele, lo attraversarono al volo, e sbucarono in un secondo magazzino più piccolo.

Nel frattempo, le creature avevano scardinato il portone, che cadde all'interno della vecchia farmacia con gran frastuono, e avevano cominciato a distruggere con una furia ottusa tutto quello che poteva nascondere le loro prede.

I fuggitivi trovarono una porta, riuscirono ad aprirla e finirono in un cortile, con al centro un maestoso albero che sfoggiava una straordinaria chioma gialla splendente. Quell'albero, nel buio di quel pomeriggio, sembrava un messaggero che ricordava loro che il mondo qualche colore buono ce lo aveva ancora. Percorsero il giardino e Frederic si congratulò con se stesso: aveva fatto i calcoli giusti, erano sbucati esattamente dove pensava lui. Da lì era facile trovare la sua consueta via di fuga.

Scavalcarono il muro proprio mentre gli artigli della prima creatura stavano per ghermirli. Si buttarono giù dall'altra parte, e ripartirono con la loro corsa disperata, trovando aperta la porta posteriore della chiesetta.

Le creature si erano a loro volta issate sul muro, ma arrivate in cima si bloccarono e rimasero lì, grugnendo per la rabbia.

«Si sono fermati» disse Frederic.

«Meglio non dargli tempo di pensarci su» disse il ragazzo.

La chiesa era quasi vuota, c'erano solo poche persone anziane che stavano pregando in silenzio e un paio di turisti che guardavano i dipinti. Tutti quanti si fermarono a osservare quella strana coppia sudata, trafelata e ricoperta di polvere e ragnatele. Uno aveva una sola scarpa e la testa insanguinata. L'altro... era scoppiato a ridere in una maniera inconsulta, ma con una risata così bella e liberatoria che non diede davvero fastidio a nessuno.

Percorsero la navata, aprirono il portone della chiesa e sbucarono nella microscopica piazzetta che dava sulla via pedonale che Frederic conosceva bene: via Carlo Alberto (aveva anche guardato su internet chi mai fosse stato quel tipo senza cognome, e aveva trovato un re con i baffoni e con una serie di titoli nobiliari da capogiro: re di Sardegna, di Cipro, di Gerusalemme, principe del Piemonte, duca di Savoia, duca di qui, conte di là e così via, e in effetti gli sembrò che tutto sommato se l'era proprio meritata, quella dedica di una bella strada del centro).

Lì era di nuovo giorno.

Ed era pieno di gente.

E si stava bene. Senza nessuno che ti voleva menare a sangue, senza mostri, senza la tristezza di un mondo privo di colori e suoni e dove piovevano insetti morti.

Ma chi erano, o *che cosa* erano quelle creature? Era poi successo per davvero?

Sarebbe stato facile convincersi che era tutta una fantasia. Fecero qualche passo verso casa, e man mano che quello che si erano lasciati alle spalle si allontanava, assumeva la consistenza dei sogni, che più ci pensi più spariscono.

Frederic aveva solo undici anni, e il suo amico meno di venti. A quell'età è impossibile essere tristi o spaventati a lungo.

Arrivarono in una grande piazza verde piena di mamme coi passeggini e bambini che andavano su e giù per uno scivolo e vecchietti che giocavano a scacchi o chiacchieravano o leggevano il giornale. In realtà anche se era una piazza non si chiamava piazza, bensì Aiuola, parola che Frederic faceva una fatica boia a pronunciare, però aveva scoperto che aveva un nome interessante: Aiuola Cesare Balbo, che era stato un politico importante che poi aveva litigato col re Carlo Alberto, quello della via lì vicino ed era stato mandato in esilio.

Poco lontano, la musichetta di una giostra sembrava arrivata lì dalla notte dei tempi. E ancora oltre, l'insegna di una gelateria.

«Io tre gusti» disse Frederic, «crema, gianduia e pistacchio. Tu?»

Ma il ragazzo non rispose. Era improvvisamente impallidito, e sudava come se avesse avuto un febbrone da far esplodere il termometro. Con occhi disperati biascicò mezza frase: «Fa male e io...» e gli strinse la mano forte, rovesciò gli occhi all'indietro e cadde a terra come morto.

Frederic gli si mise accanto senza mai lasciargli la mano, che ora scottava così tanto da fargli male e dopo pochi istanti sentì una scossa elettrica che partiva dal corpo esanime del ragazzo e scorreva con violenza nel suo.

E Frederic, improvvisamente, vide.

17
NELLA TERRA DI NESSUNO

Il cielo è viola e ci sono lunghe nuvole nere.

C'è un frastuono terribile: colpi di cannone, urla disperate, grida di dolore, le raffiche assordanti delle mitragliatrici.

Questo è l'inferno, dunque. Sto correndo a perdifiato in mezzo a decine e decine di soldati, andiamo incontro al fuoco nemico, gli uomini cadono, uno dopo l'altro.

C'è sangue dappertutto.

È difficile correre veloci: ci sono molti reticolati. Chi ci finisce contro si deve fermare e viene ucciso.

Quello accanto a me viene colpito a una gamba e crolla a terra.

Io trovo un albero, è stato spezzato a meno di un metro dalle radici, mi ci butto contro, schiena al tronco, se sto stretto sono al sicuro.

È una betulla.

Dalla mia parte ha ancora la corteccia bianca e nera, è bellissima, è un albero che c'era dalle mie parti, l'ho sempre preferito a tutti gli altri. Quel colore strano mi toglieva la paura dei boschi, mi proteggeva dai mostri. Ora mi protegge dal fuoco.

Devo stare molto attento a non far sporgere dal tronco neanche un gomito, un piede, niente. Arrivano colpi incessanti, uno dopo l'altro. Schegge dappertutto. Io stringo il fucile con le mani, più stretto che posso.

Non riesco a fare nient'altro che piangere.

Il mio compagno è caduto a pochi passi da me, sta malissimo, tende il braccio verso di me, continua a gridare «aiutami», vuole che io lo porti lì con me, al riparo. Io non riesco a sporgermi fuori dalla sagoma dell'albero, non ne ho il coraggio, volano proiettili dappertutto, provo ad allungargli il fucile, ma il calcio di legno viene frantumato in un attimo e l'arma mi cade per terra e allora resto lì, a guardare quel soldato che mi implora e mi implora finché non viene colpito di nuovo. Smette di gridare, io non lo voglio più vedere, guardo solo i miei scarponi, mi stringo le gambe con le mani.

Non riesco neanche più a piangere.

Tremo. E cerco di non tremare perché ho paura di mostrare al nemico dove sono.

Anche l'albero trema, colpo dopo colpo, sembra che da un momento all'altro andrà in mille pezzi o verrà sradicato dal terreno.

Poi tutto tace.

Guardo i miei compagni a terra, non li sento più urlare, mi tocco le orecchie: sanguinano.

Dalla nostra trincea un ufficiale con una bottiglia in mano e la pistola nell'altra ci ordina di andare avanti. Spara a sangue freddo a uno dei nostri che stava correndo indietro, disarmato, forse non sapeva neanche in che direzione stesse correndo.

Il mio fucile è andato, ne recupero uno che trovo in mezzo al fango, non controllo neanche se funziona ancora, mi alzo, scivolo, mi rialzo, ora sono in campo aperto e corro verso la trincea nemica. Siamo in pochi, a testa bassa, andiamo avanti.

Uno dopo l'altro cadono tutti.

Io vado avanti, avanti sempre avanti.

Poi vengo colpito, alla pancia.

Continuo a andare.

E mi colpiscono ancora, ma non sento niente, è strano, non sento più niente, e corro e non sono neanche stanco.

Ma poi capisco.

Mi fermo.

Guardo indietro, tutti i miei compagni sono a terra.

E mi vedo.

Sono lì con loro, con la faccia nel fango e le mani ancora strette al fucile. Dalla divisa fradicia esce una specie di fumo.

Sono morto.

Le ginocchia mi cedono, cado, piango di nuovo, finché non sento più niente.

Allora guardo il cielo, ci sono dei fulmini che lo tagliano, uno dopo l'altro.

Forse sta per piovere.

18
UN VECCHIO GENTILUOMO

Il ragazzo tornò in sé con un rantolo a bocca spalancata, sembrava uscire da sott'acqua senza più aria nei polmoni.

Era esausto. Gli tremavano le mani.

Frederic lo aiutò ad alzarsi e raggiunsero una panchina.

Il ragazzo aveva lo sguardo fisso, come quando sei alla fine di una partita che hai perso e sai che non c'è niente da fare per cambiare le cose e allora te ne stai lì, vorresti spegnere tutto ma non puoi, e allora guardi il nulla e basta.

«Sembrava un ricordo» disse. «Ero io, ma...»

Frederic era pallido. Almeno l'amico non avesse detto nulla: allora sarebbero andati a casa, tutto a posto, grazie mille, e invece adesso doveva dire qualcosa anche lui.

«Ho visto tutto» disse.

«Hai visto cosa?» chiese stupito il ragazzo.

«Ho visto quello che hai visto tu. La guerra. Era come se fossi lì accanto a te, ma non c'ero davvero, vedevo e sentivo solo».

«La corsa, i colpi, la gente che moriva?»

«Tutto».

«Hai visto me?»

«Sì».
«Alla fine sembrava che morissi anch'io».
«Sì, sembrava davvero».
«Ma c'è una guerra, adesso?»
«No, cioè sì, ma lontano da noi. A scuola ci hanno parlato della Siria, dell'Afghanistan, ma sono posti che stanno tipo sulla luna. Qui c'è il terrorismo, mettono le bombe, che però è una cosa molto diversa da quella che ho visto».
«E quindi che cos'era?»
Frederic ci pensò un po' su, poi scosse il capo: «Non ne ho idea. Non era come vedere un film, era come essere proprio lì. Mi ha fatto paura».
Il ragazzo si mise a ridere, ma la faccia era seria.
«Paura. Direi che per oggi è sufficiente. Andiamo a casa, e speriamo di non beccare di nuovo quella specie di mostri neri, che poi chissà che cos'erano».
«Quali mostri?»
«Come 'quali mostri'?» Il ragazzo, per quanto provato, non poté evitare di sussultare.
«Già, i mostri, sì, scusa» disse Frederic. Se n'era quasi dimenticato. Quelle creature erano così *non di questo mondo* che la memoria non era capace di costruire un posto per loro. Forse, addirittura, erano loro che volevano essere dimenticati: come dei predatori che sanno mimetizzarsi nell'ambiente, questi mostri avevano imparato a mimetizzarsi nella mente delle loro vittime. Per poterle aggredire meglio, la prossima volta.
«Noi le chiamiamo le Ombre» disse una voce sconosciuta.

Appoggiato a un albero c'era un uomo elegantissimo di mezza età. Capelli brizzolati e baffi ben curati, sembrava un gentiluomo inglese di fine Ottocento che si apprestava a ricevere gli amici nella sua villa di campagna. Stava svuotando la pipa, con cura e gesti estremamente precisi. Appena finita l'operazione, la mise nella tasca della giacca e guardò i due sulla panchina.

«Sono le Ombre, meglio starne alla larga».

Loro lo guardarono interrogativi, lui rispose con un mezzo sorriso, porgendo la mano.

«Piacere, Leonardo Von Bärnefels. Defunto nel 1799 e a piede libero qui tra i vivi dal 1934 e ci devo restare ancora per un bel po'».

Ma non ci fu tempo per chiedere spiegazioni che l'uomo si avvicinò al ragazzo e lo guardò con un interesse particolare.

«Hai letto il manuale, ragazzo?»

Il ragazzo si alzò e fece cenno a Frederic di andare via.

«Guardi, oggi è stata una giornata complicata, se non le dispiace noi andiamo...»

Ma prima che finisse la frase che l'uomo lo prese sotto braccio, come se fosse stato un vecchio amico.

«Ho capito, scusate, ho detto solo cose che per ora sono senza senso. Andiamo a parlarne in un posto tranquillo, vi offro un'ottima cioccolata calda. Per di qua arriviamo in via Po». Poi improvvisamente si fermò. «Ah, quasi mi dimenticavo, datemi la mano, tutti e due, anche tu bambino, per favore».

Quel tipo bizzarro era così gentile e educato che non seppero far altro che porgere la mano, che lui strinse con dolcezza ma fermamente: era impossibile liberarsi da quella stretta. Le sue mani da fredde gelate divennero improvvisamente caldissime.

Accadde una cosa davvero strana: molte delle persone vicino a loro ora avevano addosso una specie di luce azzurra, molto tenue ma bellissima, una specie di vestito luminoso.

Poi l'uomo lasciò le loro mani e tutto, per Frederic, tornò come prima.

Leonardo rispose a una domanda che il ragazzo non aveva fatto: «Sono diversi, vedi? Alcuni hanno la luce. Solo noi li vediamo così, e così loro vedono noi».

«Non ho capito» ribadì Frederic, mentre sentiva che la sua mano stava tornando a una temperatura normale. «Chi sono quelli lì?»

L'uomo gli passò lentamente una mano tra i capelli, e percorse con delicatezza la ferita e il sangue, ora del tutto rappreso. Aveva un sorriso che sapeva di nostalgia. Poi guardò Frederic negli occhi.

«Sono uomini». Fece una pausa. «È gente un po' speciale. Diversa da te. Ma è gente come me, e come il tuo amico qua».

Il ragazzo lo guardò interrogativo.

Quell'uomo elegante e strambo sorrise e disse: «Credo che potremmo usare la parola fantasmi».

19
FANTASMI

Il caffè Fiorio era un locale silenzioso, la gente parlava a voce bassa, i camerieri passavano leggeri sulla moquette rossa. Ogni tanto si sentiva il tintinnio delle tazzine e dei cucchiaini, il locale aveva quasi ducentocinquant'anni e tutto funzionava alla perfezione: quello delle attività quotidiane non era più rumore, era musica. Si stava bene, lì dentro, come davanti a un caminetto.

E la cioccolata calda era davvero la migliore del mondo, con una panna montata che sembrava una piccola nuvola di buon umore.

Dopo aver mangiato in silenzio, le paure e la stanchezza se n'erano davvero andate via, e i tre sembravano perfettamente a loro agio, anche se rappresentavano il gruppo più eterogeneo del locale: un ragazzino scarmigliato e con una ferita alla testa, un ragazzo in divisa grigio-verde e un signore distinto molto più simile a quelli rappresentati nei dipinti alle pareti che agli altri avventori del locale.

Leonardo posò il cucchiaino sul piattino.

«Lo so che suona un po' strano ma piano piano ci si fa l'abitudine. Io e te, ragazzo, e tutti quelli che vedi con un po' di luce azzurra addosso, siamo dei fantasmi. All'inizio è faticoso da accettare, ma non c'è un modo più semplice di definire la situazione in cui ci troviamo. Ci sono tantissime cose da sapere e da imparare, ma ogni cosa a suo tempo, per ora è importante solo sapere che noi siamo fantasmi e quelli là che hanno cercato di catturarvi sono i nostri nemici. Noi li chiamiamo le Ombre. Sono come delle belve feroci che vanno a caccia di fantasmi per nutrirsi di quel poco di energia vitale che ancora abbiamo e trasformarci come loro. Ci odiano, perché una volta erano fantasmi anche loro. Prima uomini, poi fantasmi, dico, solo che non sono riusciti a varcare la soglia in tempo. La soglia è la cosa più importante di tutte. Quello con gli occhi rossi è il loro capo, un mio vecchio nemico. Di solito non si muove per un fantasma qualsiasi... per qualche ragione che ancora dobbiamo capire deve trovare uno di voi due particolarmente interessante».

Sorrise, e riprese a godersi la sua cioccolata calda.

«Ah, veramente una cosa del genere ti fa sentire vivo».

Frederic e il ragazzo erano senza parole. Un vecchio pazzo, molto probabilmente, quel tipo. Un vecchio elegante e simpatico e gentile, ma pazzo. Ma quello che diceva sembrava proprio vero.

Leonardo con un gesto del braccio indicò il locale.

«Qui dentro abbiamo discusso di rivoluzioni, sapete? Ed è qui che sono morto».

Indicò una macchia scura sul velluto della tappezzeria dietro di sé.

«Questo è sangue mio. Versato per la precisione il 25 luglio 1799, ricordo che faceva caldo ma pioveva. A mezzogiorno e pochi minuti mi hanno accoltellato. Un colpo solo, preciso, al cuore. A tradimento, ma tanto che cambia? Ogni assassinio è un assassinio a tradimento. Anche quelli in guerra. E tu, ragazzo mio, hai proprio l'aria di uno morto in guerra...»

Poi guardò Frederic con grande curiosità.

«E tu, piccoletto, che cosa c'entri in questa faccenda?»

«Io... io mi chiamo Frederic Henry, abito qui da poco. Ieri sera io, ecco, come dire, c'era un muro che poi è andato giù e sì, insomma, sono io quello che ha trovato questo ragazzo, o liberato, o quello che è... va be', comunque sono io».

Leonardo fece una faccia davvero stupita. Stupita e interessatissima.

«Non era mai successo» disse, facendo ampi gesti con le mani. «Mai successo prima che un bambino trovasse, o liberasse come dici tu, un fantasma. Davvero si tratta di una cosa molto strana. Per dire, non è neanche menzionata dal manuale tra le cose impossibili. Neanche menzionata! E nel manuale c'è tutto...»

«Ma di che manuale stiamo parlando, non capisco» chiese il ragazzo, spazientito.

Leonardo si fece serio e gli toccò la giacca verde.

«Guarda nella tasca interna».

«Cosa?» replicò il ragazzo, mentre già con la mano stava slacciando i bottoni sul petto. «Qui non ho niente...»

E con grande stupore tirò fuori un libriccino che sembrava vecchissimo. La copertina era nera, i bordi delle pagine rossi. Ed erano anche rossi i caratteri con i quali era inciso sulla copertina solo un nome e un'iniziale: CAMILLO F.

«Quello dovrebbe essere il tuo nome» disse Leonardo.

«Camillo?»

«Ti risulta altrimenti?»

«No, non mi risulta nulla, non lo so come mi chiamo».

«Allora ti chiami Camillo. Per il resto delle informazioni importanti su chi sei credo ci voglia ancora un po' di pazienza».

«Camillo» ripeté ancora una volta il ragazzo. Ora aveva trovato un nome, niente di più, ma era già qualcosa.

Frederic lo guardò in un modo leggermente diverso, come se adesso che aveva un nome fosse un po' cambiato, fosse un po' meno *suo*. Certo, era lui che lo aveva *trovato*, che lo aveva *liberato*, che lo aveva... si stupì lui per primo ad averlo pensato: che lo aveva *salvato*.

Il ragazzo aprì il libriccino nero e tutti e due poterono leggere sulla prima pagina il titolo: *Spiriti, fantasmi, spettri e poltergeist: manuale di istruzioni*.

Dentro, si potevano vedere centinaia di pagine e c'erano anche dei disegni, dei grafici e degli schemi spesso incomprensibili. Alla fine c'era un indice con mille voci, sottovoci, derivazioni e collegamenti, titoli di capitoli molto specifici, tutto molto formale: a Frederic sembrava una versione molto ma molto più complicata dei manuali che ti danno quando compri una macchina, di quelli che suo papà apriva solo quando c'era un'emergenza e dove non aveva mai trovato una spiegazione chiara.

Lì dentro sembrava esserci, per quanto di difficilissima consultazione, tutto quello che c'era da sapere sui fantasmi.

«È molto complicato, è vero» disse Leonardo. «Io stesso non ci capisco molto, e non conosco nessuno che lo abbia letto da capo a fondo, ma è un oggetto molto utile: portalo sempre con te».

Poi, senza prenderglielo, allungò la mano e lo aprì nelle prime pagine.

«Ecco» disse, serio. «In ogni caso, quelli che lo hanno fatto hanno anche pensato di semplificarci un po' le cose. Come vedete, nelle prime pagine c'è una specie di riassunto delle cose fondamentali: si chiamano *Le Dieci Leggi*».

20
LE DIECI LEGGI DEI FANTASMI

1. Sei morto, tanto per cominciare. Sei un fantasma.
2. Puoi cambiare forma e aspetto, basta volerlo. Puoi diventare incorporeo, e i vivi non ti vedranno più. Puoi decidere di essere visibile solo per qualcuno.
3. Non puoi attraversare i muri tranne quando sei in stato di incorporeità. Le leggi della fisica valgono per tutti, e in linea di massima anche per i fantasmi. Ci sono leggi della fisica che non sono ancora state scoperte, e dunque ci possono essere delle sorprese.
4. Il tuo obbiettivo è non essere più un fantasma. Non ti aspettare che ti si dica che cosa c'è dopo. Non lo puoi sapere. E comunque è diverso per ognuno.
5. Puoi smettere di essere un fantasma solo attraversando la soglia. La soglia sarà aperta quando avrai sistemato le cose sbagliate che hai fatto da vivo.
6. Devi trovare da solo la soglia e anche la chiave per aprirla. Questa è la cosa più difficile.
7. C'è un tempo per attraversare la soglia. Per conoscere il tuo, gratta con una moneta nello spazio dorato apposito all'ultima pagina.

8. Se superi il tuo tempo per attraversare la soglia ti trasformerai in un'Ombra. Per sempre.
9. Fai sempre molta attenzione alle Ombre.
10. Sei al sicuro solo nella casa dove ti hanno trovato, nei luoghi sacri (vale qualunque tipo di sacro, però attenzione: lì non funziona nessuno dei tuoi poteri), nei posti affollati (da gente viva). In tutti gli altri posti vale la legge numero 9. Se incontri un'Ombra non stare a leggere il manuale, dattela a gambe prima possibile, anche se di certo sarà troppo tardi.

21
UNA STORIA COMPLICATA

Camillo chiuse il libro. Lo posò sul tavolino. Aveva la faccia di uno troppo stanco per far qualunque cosa.

«L'inizio è una citazione di Dickens, sapete, Charles Dickens, lo scrittore inglese» disse Leonardo. «Una volta a Bologna mentre si mangiava tre piatti di tortellini gli raccontai una storia di un fantasma mio amico che aveva insegnato a un tipo a dimenticare il suo passato. Che tempi. Ci si divertiva da morire».

Frederic chiese: «Che roba è la cosa dorata da grattare?»

«Ognuno ha una data di scadenza. Nell'ultima pagina c'è uno spazio rettangolare dorato: se lo gratti, lì sotto c'è scritto quanto tempo hai per passare dall'altra parte».

«Passare dove?»

«Ah, questa è una storia complicata».

Frederic prese il piccolo libro nero, controllò l'ultima pagina, e poi anche quelle precedenti, ma non c'era nessuno spazio dorato.

«Io non ho trovato niente» disse.

«Fammi vedere, per favore». Leonardo era perplesso. «Che strano» concluse.

Camillo lentamente alzò lo sguardo. Sembrava che stesse per piangere, ma non era triste: si era perso. Leonardo capì che doveva spiegare per bene le cose.

Si sistemò la cravatta, si schiarì la voce, disse alla cameriera di non disturbare e iniziò a raccontare.

«Allora» disse, «fate bene attenzione e se avete delle domande, per favore tenetele per dopo».

I due annuirono, seri.

«Prima o poi si muore. Meglio poi che prima, si dice, ma nel mio caso non è stato così e neanche nel tuo, evidentemente, ragazzo mio. Dopo che si muore il gioco si fa serio: bisogna passare nell'aldilà. Ma non è facile né immediato. C'è bisogno di tempo. Questo tempo è diviso in due parti, come le partite di calcio. Il primo tempo lo si passa in una casa, non necessariamente la propria. Lì si diventa una presenza invisibile, spesso in uno stato di dormiveglia, non si può uscire né ci si rende bene conto di essere lì né di essere quello che si è, ovvero una 'presenza'. Il tempo che si passa nella casa, diciamo così, 'infestata' – anche se è un termine che detestiamo e c'è in corso una pratica per vietarne l'uso – è di solito abbastanza lungo da non ritrovare poi nel mondo amici, parenti, gente che possa riconoscere il caro estinto. È una specie di salto generazionale. Le cosiddette 'presenze' avvertite dagli umani in case del genere non sono altro che gli incubi dei fantasmi addormentati, anche se spesso vengono confuse per i fantasmi stessi e contribuiscono a far crescere la paura nei nostri confronti. Poi, passato questo tempo di *riposo non eterno*, quando si è pronti, c'è il risveglio, ci si rende conto di tutta quanta la incresciosa faccenda dell'essere morti stecchiti e si esce dalla casa e si entra nel mondo. E si diventa così: come me, come te,

Camillo, persone in tutto e per tutto ma con certi poteri strani che variano per ognuno di noi. Questo è il secondo tempo, ed è il più importante. Ognuno ha il suo, di secondo tempo, che è quello scritto nel manuale e che a te manca. Comunque facciamo finta che ci sia, questa data. È proprio una data di scadenza. Può essere cortissima o lunghissima, come nel mio caso. Questa data serve a capire quanto tempo si ha per aprire il varco, lasciare la terra e saltare nell'aldilà. Il varco si apre da solo, esattamente nel momento in cui abbiamo sistemato i pasticci che avevamo combinato da vivi, e parlo delle cose brutte fatte, dei dolori che abbiamo causato, delle complicazioni alle vite degli altri. Il varco resta aperto per pochissimo tempo. Nessuno è mai tornato indietro per raccontare che cosa ci sia dall'altra parte. Per quanto mi riguarda, io credo che non ci sia niente: si salta, finisce la partita e arrivederci. Però è pieno di gente che la pensa diversamente. La cosa sicura è però che se non si sistemano le cose in tempo sono guai. Che cosa intendo con guai? Quando siete arrivati prima di corsa stavate scappando proprio dai guai di cui sto parlando».

Fece una pausa teatrale, si scrocchiò le dita di una mano e poi riprese.

«Le chiamiamo le Ombre, e sono fantasmi rimasti sulla terra oltre la loro data di scadenza. Per farla breve, sono mostri che si nutrono di fantasmi. Si nutrono di quella minuscola scintilla di vita che c'è ancora in noi».

Silenzio.

«Quello che non capisco è perché non ci sia una data di scadenza sul tuo manuale, è un caso inedito, molto interessante. Ragazzo, c'è qualche cosa di fondamentale da sapere della tua vita precedente, per capire un po' meglio la situazione? O qualcosa che è successo al momento del risveglio, quando la casa ti ha lasciato andare via...»

«Veramente» rispose Frederic, «lui non sa chi sia e non è che è proprio uscito dalla casa: come dicevo prima, è crollato un muro».

«Ah già, il muro. Ma spiegami, in che senso è crollato un muro?» Leonardo era veramente stupito.

Dato che Camillo continuava a tacere, Frederic raccontò della serata del suo compleanno, delle lacrime, del muro e di come erano diventati amici.

Leonardo ascoltò tutto con molto interesse, e poi rimase qualche istante in silenzio, con un'aria mista di stupore e di entusiasmo.

«Un muro che crolla per un dolore. Un bambino che diventa amico di un fantasma che si trova nel mondo prima di essere pronto e che non ricorda nulla della sua vita precedente. È una cosa a dir poco sensazionale, sensazionale!» Sembrava incapace di contenere l'entusiasmo, come un detective che sta per affrontare il caso più difficile della sua carriera. «Qui c'è più di un enigma da risolvere. Perché sei stato liberato dalla casa prima del tempo e che cosa comporti questo fatto anomalo. E come scoprire la tua data di scadenza. E poi capire chi sei e qual è la tua missione. E poi ancora scoprire il tuo ruolo in tutto questo, piccolo Frederic, tu che appartieni al mondo dei vivi ma che non hai paura dei fantasmi. Tantissime cose, e indizi pochi, direi. E una volta scoperto tutto quanto siamo solo all'inizio: c'è la grande avventura del sistemare il passato e far aprire il varco... è davvero una situazione inedita e, devo ammettere, molto affascinante».

Fu a questo punto che Camillo si alzò di scatto. Guardò Leonardo con un'aria strana di sfida, scherno e rabbia.

«Quindi» disse a bassa voce, «io sono morto, sono un fantasma e quelli vorrebbero mangiarmi?»

Leonardo non sembrava particolarmente stupito, come se fosse abituato a momenti del genere.

«Mi dispiace» disse solo.

«Ma non scherziamo. Un fantasma, come no» disse Camillo. «Io sono solo un ragazzo. E tu sei un vecchio matto. Grazie di tutto e arrivederci».

Fece un paio di passi verso l'uscita del locale, poi tornò indietro e abbracciò forte Frederic.

«Mi dispiace» gli disse. «Sei stato molto gentile con me, grazie, davvero non lo dimenticherò mai».

E uscì dal bar, senza voltarsi indietro.

Frederic stava per seguirlo, ma Leonardo gli disse che bisognava lasciarlo andare. Il ragazzino tornò a sedersi, e si rese improvvisamente conto che di tutte le cose che gli erano successe nelle ultime ventiquattro ore questa era la più triste e dolorosa. Pur non avendo capito molto della situazione, capiva quello che l'amico stava provando: Frederic sapeva bene che cosa volesse dire essere arrabbiati. E volersene andare, e tutto quanto. Ma sentiva qualcosa dentro che gli faceva davvero male.

La tristezza, imparò quel giorno Frederic, è qualcosa che ti fa male al cuore. Non per modo di dire, fa davvero male, fisicamente. Forse è per questo che i cuori ogni tanto si spezzano.

Anche Leonardo era triste, quel ragazzino gli faceva una pena infinita.

«Succede spesso» disse, «soprattutto con i più giovani. Ma tornerà. Forse».

Chiamò una cameriera.

«Io ho proprio bisogno di un bel toast. E un bel cappuccino. Tu che prendi?»

Frederic scosse semplicemente la testa. Guardò quel bizzarro gentiluomo, gli sembrava una persona un po' svitata, ma onesta.

«Veramente il mondo è pieno di gente morta?» gli chiese.

«Eh sì. Pieno di gente morta buona e pieno di gente morta cattiva, esattamente come succede con i vivi. Solo che la posta in gioco è più alta: da vivi ci sembra chissà che, ma si tratta solo di una manciata di anni in più o in meno, mentre per noi è in ballo l'eternità».

E di colpo si illuminò alla vista del vassoio che la cameriera stava portando al loro tavolino. Prese al volo una fetta di toast, ma prima di mangiare mise la mano nella tasca interna della giacca e ne estrasse un biglietto da visita.

C'era scritto solo il suo nome e cognome. Nient'altro.

«Per quando avrete bisogno di me» disse ricominciando a mangiare. «E di sicuro avrete bisogno di me. C'è un vecchio circolo, qui in città: nel caso, passate di lì, durante il giorno mi trovate sempre».

Frederic guardò il biglietto, lo prese e lo mise in tasca. Tutto gli sembrava troppo difficile, ora. L'unica cosa che importava era tornare a casa. Mentre si metteva la giacca ripensò a quello che doveva essere il capo delle Ombre.

«Mi ha chiesto se eravamo noi» disse. «Il mostro più forte, quello che faceva più paura. Ci ha chiesto se eravamo noi, ma non so che cosa volesse dire».

Leonardo assentì lentamente più volte, improvvisamente molto serio.

«La leggenda» mormorò, ma senza dire nulla di più.

«Vieni a trovarmi al circolo, io intanto cerco di scoprire qualcosa». E riprese a mangiare, ma più lentamente, con aria pensierosa.

Frederic ringraziò per la merenda e uscì dal locale.

Fuori faceva davvero freddo.

La gente passava, rideva, era seria, passeggiava, correva, da soli o in coppia, a gruppi. Ma non erano reali, gli sembrava non esistessero davvero.

L'unica cosa reale era il fatto che Frederic era stato abbandonato da Windermere.

Era stato abbandonato dalla sua famiglia.

Era stato abbandonato da Camillo.

Aveva il morale a terra.

E con quella forza che si ha da bambini e che pensiamo possa durare per sempre finché non ci rendiamo conto che è finita e tutto quanto diventa difficile e faticoso, con quella forza misteriosa Frederic pensò che non era il momento di stare da soli: era il momento di invitare da lui Liz e il piccolo Ben.

«Amici, vi va di visitare una vera casa degli spiriti?» disse.

22
LA CASA DEGLI SPIRITI

Il pane era un po' bruciacchiato e la marmellata era un po' troppo fatta in casa per essere davvero buona, ma Beatrix ce la mise tutta per accogliere al meglio gli amici di Frederic.

Gli amici di Frederic! Già a dirlo le venivano le lacrime agli occhi.

Era un piccolo evento, anche se uno dei due non parlava e l'altra, quella con dei bellissimi occhi viola, aveva l'aria di una che non aveva mai visto un pettine né dei vestiti decenti, tutto sommato sembravano bambini a posto.

A tavola parlarono di cose che la madre di Frederic non era in grado di capire, ma la divertì molto sentire quanto era appassionata la conversazione e non fece domande imbarazzanti. Alessandro, dopo essere stato a lungo a far niente davanti al computer, era uscito per fare due passi.

Frederic raccontò a Liz e Ben dell'incontro con Leonardo, e delle regole alle quali dovevano sottostare i fantasmi, e descrisse al suo meglio la minaccia delle Ombre.

«Quindi una buona parte della gente che vediamo in

giro in realtà sarebbero fantasmi?» chiese Liz, con aria scettica.

«Tanti. Si riconoscono perché hanno una luce strana addosso, ma la vedi solo se ti tiene per mano un fantasma».

«E non c'è altro modo di riconoscere chi è vivo da chi è morto?»

«No».

«Certo che di fulminati come il tuo amico ce n'è sempre di più, in giro, vero Ben?»

Il piccolo Ben annuì.

«Io, fossi in te, mi dimenticherei tutto quanto: il vecchio pazzo e anche il giovane pazzo, già che ci siamo. Quelli possono essere pericolosi, soprattutto con i bambini».

«A me non sembravano pazzi, anche se di pazzi veri non ne ho mai visti. E come la mettiamo con i mostri che ci hanno aggredito?»

«Sicuro di averli visti? Non hai appena detto che non ricordi esattamente com'erano fatti?»

«Sì, ma...»

«In certi vicoli bui ho visto delle persone più brutte di quelle che dici tu, ed erano persone, mica delle Ombre, come le chiami tu».

Ben fece una faccia che tutti gli altri due interpretarono correttamente come un 'a me sì, fanno paura eccome'.

A questo punto Beatrix non poté trattenere la curiosità.

«Ma cos'è, un videogioco?»

«Che cosa, mamma?»

«Quello di cui state parlando. Sembra appassionante».

Frederic non fu bravo a trovare una risposta pronta che tranquillizzasse la madre, né d'altra parte gli piaceva mentirle, per cui se ne stette lì a guardarla con l'aria imbambolata. Liz lo cavò d'impaccio con prontezza.

«No, è che a scuola si parla molto di questo film che però nessuno di noi ha visto, ma la trama ci sembra divertente e facciamo finta di essere noi i protagonisti».

«Ah, e come si intitola il film?» chiese interessata X.

«*Una storia di fantasmi*» rispose, sorridendo la ragazzina. «Perché infatti si tratta di una storia di fantasmi».

X pensò che era una ragazza sveglia, e che quegli occhi così straordinariamente viola l'avrebbero resa affascinante, non appena fosse uscita da quella crisalide di capelli, vestiti e colori così fuori dal suo tempo.

«Ok, vi lascio ai vostri fantasmi. Vado a sistemare una doccia che non funziona bene, se avete bisogno, urlate».

Appena X si fu allontanata con il suo corredo di chiavi inglesi e ferramenta varia, Liz guardò i due amici con un sorriso storto.

«In verità volevo dire una storia di fantasmi *scema*».

Frederic finì di mangiare la sua fetta di pane in silenzio, poi raccolse alcune briciole e ne fece un mucchietto. Mise il piatto nel lavandino, poi disse: «Hai ragione, è una scemenza, lasciamo perdere. Se volete andate pure a casa».

Liz prese un'altra fetta di pane, ci spalmò sopra tantissimo burro e poi una montagna di marmellata. Ne mangiò metà in un morso e poi, ancora masticando, disse: «Non scherziamo. Ci hai promesso una visita guidata in una casa degli spiriti e il semplice fatto che io non ci credo non è un buon motivo né perché tu decida di non mantenere la promessa né che tu ti offenda».

«Io mi offendo perché tu non credi in me».

«E come no. Io credo in te. Tu esisti. Non credo negli spiriti. Che non esistono. Semplice, no?»

Finì la fetta e se ne preparò un'altra.

«Va bene» disse Frederic. «Va bene. Venite a vedere il muro crollato».

Li portò alla cantina, ma a metà della scala verso il sotterraneo gli era già venuta voglia di lasciare perdere tutto perché Liz, dietro di lui, continuava a fare degli stupidissimi versi tipo 'uuh-uuh' fingendo di essere un fantasma. Però quando arrivarono tutti quanti davanti al muro crollato, fu sicuro di avere guadagnato qualche punto: il muro era *veramente* crollato, e c'era *veramente* una crepa sul pavimento, e dall'altra parte c'era *veramente* una stanza segreta. Certo, non c'era nessun fantasma, ma un minimo di atmosfera da brividi sì, tutto sommato. Liz raccolse da terra un pezzo del muro, lo esaminò con attenzione e poi, con aria solenne da scienziata, disse: «Presenza ectoplasmatica oltre la norma. Emissioni di onde lambda mai registrate dai tempi della grande infestazione di Glasgow nel 1938. Signori, siamo davanti a una scoperta che rivoluzionerà il mondo scientifico così come lo conosciamo».

Fece una pausa a effetto, poi buttò il pezzo di muro per terra.

«Ora vediamo la cameretta dove il fantasma ha dormito la sua prima notte da spirito libero. Giovanotto, ci faccia strada. Saremmo poi anche interessati a vedere il bagno dove il fantasma ha fatto la sua prima cacca fantasmatica».

Frederic li fece salire in camera sua, chiedendosi che cosa avrebbero fatto una volta là.

Fortunatamente, il piccolo Ben rimase subito affascinato dalla grande carta geografica, e i due ragazzini si persero a scoprire i vari Paesi che coi secoli avevano cambiato nome e confini.

Un urlo di terrore di Liz li fece sobbalzare e li riportò immediatamente alla realtà. Lei stava guardando, sconvolta, sotto il materasso. Poi, facendosi coraggio, allungò la mano e raccolse un paio di mutande di Frederic.

«Mutande da maschio con disegni di gattini giapponesi! Indossate, a occhio, ben oltre ogni limite consentito a un essere umano. Dobbiamo chiamare subito un esorcista».

E le lanciò ridendo ai due amici, che le schivarono, ridendo anche loro. Frederic, nonostante l'imbarazzo, capì che quella ragazzina non stava ridendo di lui, ma stava ridendo *con* lui. Non lo stava prendendo in giro, stava ridendo di uno stupido oggetto. Aveva questa magia del far star bene le persone senza essere seri.

Finito di ridere, Ben chiese a gesti dove fosse il bagno, e Frederic aprì la porta della camera e gli spiegò che ne avrebbe trovato uno in fondo al corridoio, al loro stesso piano. In un altro momento lo avrebbe accompagnato, ma questa cosa di avere in camera una ragazza magica che sapeva ridere bene di tutto gli sembrava troppo importante per assentarsi anche solo per un minuto.

Ora però Frederic non sapeva bene che cosa fare. Si sedette sul letto e si abbracciò le ginocchia. E poi fece quello che gli aveva insegnato una volta suo padre, che a sua volta lo aveva imparato dal suo scrittore preferito, Ernest Hemingway, quello dal quale aveva preso in prestito il nome del figlio.

Tutto quello che devi fare è scrivere una frase vera. Scrivi la frase più vera che conosci. Così scrivevo una frase vera e poi partivo da qui.

Questa volta Frederic non aveva nulla da scrivere ma qualcosa da dire c'era e allora disse una frase vera.

«Mio padre fa lo scrittore, ma non è più capace di scrivere».

Una frase vera.

Silenzio.

Liz lo guardò per un istante come per dire 'ma che c'entra', ma subito capì che invece aveva molto senso.

Si sedette accanto a Frederic. Avrebbe voluto prendergli la mano, ma sapeva che non sarebbe stata una buona idea. Lo sapeva che il padre di Frederic faceva un lavoro strano, e che era famoso e tutto quanto. Ma adesso, in quella casa vecchia e vuota, le sembrò davvero chiaro il dolore di quel ragazzino con un padre troppo impegnato a combattere i suoi fantasmi personali per fare l'unica cosa di cui suo figlio avesse davvero bisogno: il padre. E le sembrò davvero giusto il fatto che a quel bambino fosse apparso un fantasma.

Frederic a questo punto disse un'altra frase vera.

«Noi tre non siamo mai stati così soli come in questa casa».

La voce gli tremava, e cercava di non piangere, e non voleva continuare a dire frasi vere, voleva dire cose belle e allegre per far ridere quella ragazza magica ma non gli venivano, e si sentiva irrimediabilmente stupido.

Liz percepì con chiarezza le lacrime di Frederic che non volevano uscire e allora le venne naturale aiutarlo facendole uscire lei. Senza dire nulla, iniziò a piangere un fiume di lacrime.

In quell'istante Ben, uscendo dal bagno si accorse che in fondo al corridoio, dov'era completamente buio, c'era qualcuno.

23
UN'OMBRA IN CASA

Nel buio c'era qualcuno che stava camminando. Sembrava che stesse cercando qualcosa, o qualcuno. Aprì una porta, guardò dentro, la richiuse. Poi improvvisamente si voltò di scatto e fissò gli occhi in quelli di Ben.

Il ragazzino era paralizzato dal terrore, in un corridoio buio di una casa sconosciuta. Qualcuno stava andando verso di lui. Per calmarsi e farsi passare la paura aveva un suo metodo: iniziare a dire mentalmente l'alfabeto e trovare una parola per ogni lettera e ogni parola doveva essere della stessa famiglia, tipo animali, frutta, città...

A come Alligatore, B come Bertuccia, C come Cane, D come... come, non lo so come cosa, D non mi viene...

Doveva tornare da Frederic e Liz con calma, senza correre, lui era piccolo ma non era un fifone. E allora, passo dopo passo, procedette verso la porta chiusa della camera dell'amico.

Si impose di non guardare indietro. Non si deve mai guardare indietro, questo lo sanno tutti, perché poi alla fine vedi quello che non vorresti vedere.

A ogni passo però sentiva un altro passo dietro di sé.

A metà strada si fermò e sentì che dietro di lui anche quell'altro si fermava. Doveva essere grande: sentiva scricchiolare le assi del pavimento.

Non girarti, piccolo Ben. Non girarti. Non farlo. Ti prego non farlo.

Ma era un bambino, e si girò.

A pochi passi da lui, nell'ombra del muro, quasi fosse parte dell'ombra stessa, c'era una specie di persona, sembrava fatta di quella fragile materia che resta dopo che un foglio di carta è bruciato, che quando la tocchi si sbriciola nell'aria. Gli occhi erano quelli di un gabbiano ricoperto di petrolio di una nave che Ben aveva visto una volta in televisione. Occhi che parlavano solo di morte.

Il bambino partì come un missile, si schiantò contro la porta della stanza di Frederic e ruzzolò sul pavimento. Si rialzò di corsa, chiuse a chiave la porta e poi vi si appoggiò di schiena trattenendo il fiato, pallido, sudato e con lo sguardo di uno che aveva visto proprio quello che non avrebbe voluto.

Frederic e Liz lo guardarono senza capire.

«Stai bene?» chiese Liz.

Ben fece cenno di no.

«Cos'è successo?»

Ben continuava a far cenno di no, per cercare di liberare la mente da quello che aveva visto.

«Va bene, è una casa orribile, ma adesso calmati» disse Liz, accarezzandolo sui capelli fradici di sudore.

«C'è qualcuno?» chiese Frederic, meno sicuro che il suo amico si fosse lasciato suggestionare dall'atmosfera. «C'è qualcuno lì fuori?»

Ben annuì.

«Chi?»

Qualcuno bussò alla porta.

Forte. Senza smettere.

Da sotto la porta cominciò ad arrivare un filo di fumo nero. Frederic ricordò improvvisamente la puzza delle Ombre. Guardò i suoi amici con aria disperata, non sapeva cosa fare, cercò di ricordarsi se c'era qualcosa nelle regole del manuale ma non gli tornò in mente nulla se non che le Ombre erano pericolosissime per i fantasmi. E per gli umani?

Liz dovette ammettere che cominciava a essere spaventata.

«Che facciamo?» disse. «Chiamiamo la Polizia? Io ho un telefono». E mostrò un cellulare tenuto insieme da un rotolo intero di scotch ma funzionante.

La porta tremava per i colpi.

«Dammi qua!» Frederic prese il telefono e digitò febbrilmente il numero di sua madre, sperando di ricordarselo giusto e che lei se lo fosse tenuto in tasca.

«Ti prego ti prego ti prego» disse a bassa voce, mentre dall'altra parte il telefono squillava a vuoto.

La porta ricevette uno scossone violentissimo che per poco non la sradicò dai cardini. Per fortuna era bella pesante e resse bene.

Finalmente la madre rispose. Frederic la investì con un fiume di parole.

«Mamma sono io ti chiamo dal telefono della mia amica senti abbiamo fatto una cavolata per gioco ci siamo chiusi nella stanza e adesso non sappiamo come uscire ti prego vieni su subito che qui vogliono convincermi a scendere dalla finestra».

Silenzio, dall'altra parte.

X aveva in mano un tubo della doccia che aveva improvvisamente iniziato a sparare acqua da tutte le parti e bisognava chiudere immediatamente le condutture e valutò la possibilità di lasciarli fare.

Secondo piano.

Allarme rosso.

«Vengo subito».

La porta stava per cedere. I tre ragazzini, accanto alla finestra, trattenevano il fiato, e avevano tutti i sensi all'erta, come animali selvatici intrappolati.

Fuori dalla stanza ora c'era silenzio.

La serratura della porta scattò.

Il piccolo Ben sentì distintamente i capelli rizzarglisi sulla nuca.

Frederic tese i muscoli per prepararsi al lancio dalla finestra.

Liz, che era l'unica dei tre a non aver mai visto un'Ombra, era spaventata dal terrore dei suoi due amici, e si stava maledicendo per non aver preso sul serio la faccenda.

Nella stanza entrò Beatrix, con i vestiti e i capelli fradici. Non era affatto contenta di essere stata disturbata. Aveva aperto la porta con un cacciavite.

«Allora?» chiese seria. «Perché vi siete chiusi dentro?»

«È stata una stupidaggine mamma, scusa. Ehm, è tutto a posto?» domandò Frederic, guardando dietro alle spalle della madre.

«Tutto a posto?» disse lei, strizzandosi i vestiti fradici. «No, non è tutto a posto. Sotto c'è un bel casino. E voi tre mi darete molto volentieri una mano a sistemarlo». Li guardò per un po'. Avevano l'aria di gente che aveva combinato un guaio, ma il suo istinto le disse anche che sembravano davvero spaventati. Liz ridacchiava nervosamente e cercava di sembrare disinvolta.

«Va be', se scopro che avete combinato qualcosa di

grave vi do una punizione che vi ricorderete a lungo, voi due inclusi, anche se non siete figli miei. Vi aspetto sotto tra cinque minuti». E uscì.

Frederic con la coda dell'occhio colse un movimento in giardino. «Guardate!» sussurrò agli altri due.

Guardarono tutti fuori dalla finestra.

Tra le piante del giardino alcune figure scure si stavano allontanando silenziosamente.

«Le Ombre» disse Frederic.

Liz guardò bene, e non vide nulla. «Magari sono dei traslocatori. Ne ho visti molti, quando siamo arrivati».

«Sì, va be', come no, adesso siamo spaventati dai traslocatori» disse Frederic scocciato.

«Sai come si chiama?» ribadì lei con una certa aria di superiorità. «Autosuggestione. O, meglio ancora, la tendenza a ingigantire le cose di alcuni bambini speciali che potremmo per semplicità definire cacasotto».

«Elisabetta» chiese Frederic con aria finto seria, «nessuno ti ha mai minacciata di spaccarti il naso?»

«Come no» rispose lei, spalancando gli occhi scintillanti con aria da santa. «Però poi, chissà come mai, non lo hanno mai fatto». E rivolse subito tutta la sua attenzione al piccolo Ben, ignorando totalmente Frederic.

«Ascoltami bene, piccoletto».

Ben annuì.

«Ti sei spaventato molto?»

Ben annuì.

«C'era qualcuno qui in casa?»

Ben annuì.

«Lo hai visto bene?»

Ben annuì. Poi scosse la testa.

«Potresti disegnarlo?»

Ben scosse la testa.

«Hai ancora paura?»

Ben scosse la testa.

«Ok, bene, allora possiamo andare giù a dare una mano alla mamma di Freddie a riparare 'sta cavolo di doccia».

Si avviò decisa verso la porta, poi però si fermò all'improvviso. «Anzi, ho avuto un'ottima idea».

Guardò Frederic con tutta l'attenzione possibile, ridandogli la sensazione di esistere. «L'ottima idea è che io e il piccolo Ben potremmo restare qui stanotte, i miei di certo sono d'accordo, l'ho già fatto tante volte con compagni che avevano case e famiglie molto più strambe di voi. E quei rimbambiti dei suoi nonni non sapranno mai dire di no a tua madre. Così noi potremo scoprire se c'è qualcosa davvero che non va e se il tuo amico fantasma torna ci faremo spiegare bene tutta la faccenda».

Frederic sorrise, felice.

«Allora sei d'accordo che è un fantasma vero!»

«No» disse lei, «per nulla, non scherziamo. Però ho voglia di pizza. Io vado pazza per la pizza, ma a casa mia non la prendiamo mai e quando la prepara mia mamma fa schifo. Per me margherita, con doppia mozzarella, grazie».

E uscì nel corridoio, senza nessuna paura. Ben la seguì a ruota. Frederic ci pensò un poco su, poi uscì anche lui.

Ma sì, in fondo ha ragione lei. Una buona pizza e poi cercheremo di capire davvero che cosa sta succedendo. Ci fosse anche il mio nuovo amico sarebbe ancora meglio. Camillo, si chiama. Ed è un fantasma. Chissà che cosa starà combinando, da solo, in città.

24
IL CIRCO

Camillo si trovava a 167 metri di altezza, seduto a cavalcioni di un anello metallico che girava attorno alla cima di una torre unica al mondo: la Mole Antonelliana. Poco sopra di lui la punta della torre terminava con una grande stella a dodici punte.

Camillo guardava le luci, sentiva i rumori della città, vedeva i suoi minuscoli abitanti sua minuscola popolazione affaccendarsi in mille direzioni.

Non sarebbe mai più sceso da lì, tanta era la bellezza di quel mondo così lontano e così vicino. No, non sarebbe mai più sceso, il mondo laggiù era davvero troppo complicato e troppo spaventoso.

Sentì un fruscio e si accorse che accanto a lui c'era un falco. L'animale non aveva paura. Aveva il suo nido dentro la stella, e lì accanto c'erano piume grigie sparse di piccione: probabilmente le sue prede. Il falco si avvicinò a Camillo, come un vecchio amico che si siede accanto a te senza dire nulla.

Camillo pensò che sarebbe stato bello avere le ali e poter vivere sempre così, libero da tutto.

Il falco guardò Camillo, inclinando lievemente la testa, come se stesse cercando di capire che strano tipo di umano fosse quello lì, che era arrivato da solo così tanto in alto.

Camillo sorrise agli enormi occhi neri bordati di giallo del falco. Vide per un istante tutto quello che il volatile aveva visto in più di dieci anni di volo su monti, città, boschi e fiumi. E in quell'istante fu felice. Avrebbe tanto voluto dargli qualcosa in cambio, ma non aveva nulla con sé, se non un piccolo manuale di istruzioni per fantasmi e una monetina da due centesimi su cui era raffigurata proprio la Mole Antonelliana. L'aveva trovata per terra, poco prima. Quando aveva visto che proprio lì vicino c'era la costruzione riprodotta sulla moneta gli era venuto il desiderio di salirci su, e senza neanche rendersene conto si era trovato coi piedi a penzoloni nel vuoto e la testa nel freddo della notte. Non aveva avuto tempo di spaventarsi: quello che vedeva era così bello da mozzare il respiro.

Camillo mise la monetina sul palmo della mano e la porse al falco, che la prese col becco e con un rapido movimento delle ali balzò sulla stella e la depose nel suo nido. Poi spiccò il volo, sparendo alla vista del ragazzo.

Camillo pensò ai poteri che si era ritrovato tra le mani, stese il braccio e fece un gesto come per comprendere tutta la città sotto di lui.

«Spento» disse.

E tutte le luci della città si spensero per davvero. Ora era nel nulla più totale, e gli venne paura.

«Acceso» disse, con un filo di voce.

La città tornò a essere la fantasmagoria di prima. Camillo rise, contento di non aver combinato un guaio.

Improvvisamente un fulmine attraversò il cielo e colpì con violenza la stella poco sopra di lui. Un frastuono infernale che durò un paio di secondi. L'intero edificio ebbe una specie di brivido, ma non ci fu nessun danno. Numerose scariche elettriche strisciavano sulle parti metalliche della torre fino a scomparire, e lui si rese conto che non aveva sentito nulla, fisicamente.

Prese un bel respiro, guardò un'ultima volta le luci della città, chiuse gli occhi e saltò giù.

Si ritrovò sano e salvo davanti al Teatro dell'Opera, proprio dove aveva raccolto da terra la monetina.

Aveva camminato, molto, e pensato moltissimo, e si era davvero stancato di entrambe le cose.

A un certo punto era passato davanti a una vetrina di un negozio di vestiti. Aveva male ai piedi. Aveva bisogno di scarpe più comode, come sembravano quelle degli uomini che incontrava. I ragazzini, addirittura, le avevano di un materiale che non conosceva, erano colorate e morbide e sembravano finte. Le ragazze no, almeno non tutte, erano tutte bellissime e gli erano tutte sembrate vestite e truccate da ballerine.

Aveva anche bisogno di un vestito nuovo, si era accorto che la gente lo guardava strano. Ma non aveva un soldo e per dei vestiti nuovi ce ne volevano davvero tanti.

Si rese invisibile ed entrò in un negozio. Curiosò un po', prese un vestito che gli piaceva, lo indossò e, mentre le commesse avevano la strana sensazione di aver visto alcuni vestiti muoversi da soli, uscì.

Così adesso, tornato visibile, nessuno lo guardava più strano. Un paio di pantaloni morbidi blu cobalto, una maglietta marrone chiaro, una camicia di flanella a scacchi e una giacca blu notte che sembrava da marinaio ma era di un materiale sconosciuto.

Quando si vide riflesso in una vetrina non era più un

soldato spaventato: ora era un ragazzo come tutti gli altri. Si ripromise di rimborsare il negozio appena possibile.

Gli arrivò da lontano una canzone violenta, urlata, con un ritmo forsennato e suoni duri, metallici. Grida distorte.

Gli parve bellissima. Un tipo di bellezza che non conosceva.

Decise di seguire quella musica.

Arrivò a un grande edificio. La musica veniva da lì dentro.

Dappertutto c'erano i poster che aveva già visto in giro in città.

MARILYN MANSON EUROPEAN TOUR.

La persona del poster non l'aveva mai vista prima, aveva il viso dipinto come un vecchio clown, tantissimi tatuaggi e lo sguardo triste. Sulle labbra, un rossetto sbavato. Camillo si chiese chi fosse.

Lo spettacolo era già iniziato. Nella grande sala era ammassata una quantità inverosimile di persone. Non gli piaceva essere invisibile, gli sembrava di non esistere. Si ripromise di farlo il meno possibile.

Migliaia di ragazzi della sua età ballavano e cantavano al ritmo della musica, muovendosi a ondate con logiche imprevedibili. La maggior parte era vestita di nero, molti avevano i capelli di colori strani e molti altri avevano il viso truccato come l'uomo dei poster.

Camillo ebbe la strana sensazione che lì dentro ci fosse una quantità enorme di vita, sentiva nel profondo le migliaia di pensieri e desideri delle persone ammassate lì con lui ed era come un'esplosione di tutte le cose belle e di tutte le cose brutte che c'erano nel mondo.

Camminando in mezzo a quel mare di corpi, Camillo

sperimentò in un solo momento che cosa voleva dire avere la sua età in quel tempo strano in cui si era ritrovato a vivere senza memoria, imparò tante cose sulla vita e sulla morte, sulla felicità e sulla paura, sui sogni e sugli incubi.

Una parte del pubblico aveva attorno a sé quella luce azzurra che aveva imparato a riconoscere quando Leonardo gli aveva stretto la mano, ma non gli diede troppa importanza.

Sul palco vide il tipo dei poster e capì che era un cantante, anche se mai avrebbe potuto immaginare che si sarebbe potuto cantare e suonare in quel modo. In alcuni dei suoi vaghi ricordi la musica era una cosa che assomigliava al muoversi delle foglie nel vento, o delle nuvole nel cielo: poteva trasformarsi in temporale o lasciare filtrare dei raggi di sole, ma era sempre qualcosa che nasceva dalle cose più semplici della natura. Questa musica era diversa: era un'esplosione che ti entrava nel corpo e ti trasformava in qualcosa che non sapevi di poter essere.

Camillo si mise a ballare.

Nuotò in quel mare in burrasca per due ore.

Divenne amico di gente che non capiva bene chi fosse e che cosa facesse.

Venne baciato a lungo da una ragazza col viso truccato come un teschio e con le pupille di colore bianco.

Gli vennero offerte tante cose da bere.

Bevve, rise, ballò e si divertì finché non sentì più niente.

A quel punto quello che aveva attorno si dissolse all'improvviso in un nero profondo come la notte.

25
LA ROCKSTAR

Camillo si risvegliò in un vicolo buio, con la testa che gli scoppiava.

Solo.

Era per terra, a torso nudo.

L'asfalto era freddo e bagnato e Camillo cercò di alzarsi, aveva i brividi. Tutto il mondo attorno a lui girava.

Si mise in ginocchio e si guardò attorno. Non c'era nessuno. Non c'era neanche più la musica. Nelle orecchie, un fischio continuo gli impediva di sentire bene i rumori della città. Trovò la sua maglia per terra, la raccolse e se la infilò, era gelata e gli fece venire altri brividi.

Sentì un rumore alle sue spalle, come di un piede che urta un oggetto metallico. Si voltò ma non vide nulla.

Si alzò. Vide un movimento dove il vicolo si incrociava con una strada più grande ma male illuminata. Sembrava che ci fosse qualcuno che camminava rasente al muro. Anzi, che *strisciava* sul muro.

«Chi c'è?»

Di nuovo rumori alle sue spalle.

«Chi c'è?» ripeté. Sentiva che gli stava arrivando addosso la paura.

Era la prima volta da quando era passato dall'altra parte del muro che sentiva paura per davvero.

Non aveva avuto paura quando gli era arrivato addosso il tram, né quando aveva dovuto salvare il ragazzino dall'aggressione delle creature nere.

Fai sempre molta attenzione alle Ombre.

Le Ombre gli si stavano avvicinando, a passi lenti, dopo aver bloccato ogni via di fuga. La paura sembrava che provenisse da loro, come se quelle creature fossero state in preda al terrore della loro stessa natura disumana.

Camillo si sentiva debole, la testa gli girava ancora, sentiva che tentare di sfuggire a quelle zanne schifose per una seconda volta sarebbe stata un'impresa impossibile.

Se le sentiva già addosso, quando una massiccia porta di sicurezza metallica, di quelle apribili solo dall'interno, si spalancò.

Le Ombre scattarono in avanti, Camillo non ebbe tempo di capire che cosa stava succedendo. Dalla porta emerse una figura che in un batter d'occhi lo raggiunse, lo afferrò per un braccio e con una forza impensabile lo trascinò dentro chiudendosi la porta alle spalle. Dei tonfi immediatamente successivi allo scatto della serratura di sicurezza fecero capire a Camillo che le Ombre lo avevano mancato per un soffio.

Camillo ora si trovava in una stanza con le pareti ricoperte da pesanti tende rosso scure. C'era un divano nero. Un grande specchio incorniciato da lampadine azzurre, sotto il quale c'era un'infinità di prodotti per la cura del corpo, trucchi vari, pettini e un phon. Alcuni bastoncini di incenso profumavano la stanza con il loro fumo lento e ipnotico. Da qualche parte arrivava un misto di musica delicatissima e di suoni naturali: un ruscello che scorreva, il vento in un bosco.

Seduto su una specie di enorme poltrona da barbiere, con addosso un'elegante veste da camera damascata e con il viso mezzo struccato, Camillo riconobbe l'uomo dei poster, l'uomo che era sul palco del concerto. Marilyn Manson, in persona.

Visto da vicino, sembrava un uomo di mezza età piuttosto stanco, dall'aria ironica e intelligente. Stava sorseggiando una tisana calda, mentre sceglieva sul telefonino una fotografia da pubblicare su Instagram.

«Un semplice grazie non farebbe male, direi» borbottò Manson, quasi tra sé e sé.

Camillo lo guardò, quell'uomo che muoveva le folle trasformandole in fiumi in piena ora gli sembrava un tranquillo signore solo un po' inquietante.

«Grazie» disse Camillo.

«Non c'è di che» rispose l'altro, sorridendo e rivelando una dentiera metallica che al ragazzo sembrò davvero fuori luogo in quel posto. L'uomo se ne accorse e con un gesto un po' forzato se la tolse: era solo una specie di rivestimento e la mise in un bicchiere.

«In effetti» aggiunse, «a quest'ora di te sarebbe rimasto ben poco, lì fuori. Ma che ti è passato per la testa di stare in un posto così pericoloso, non hai letto il manuale?»

Camillo non disse nulla. Notò che quell'uomo emanava una fioca luce azzurra.

«No, non lo legge mai nessuno, il manuale» commentò l'uomo. «E fate male. Io l'ho letto. Un paio di volte dall'inizio alla fine. E sai cosa? È noioso».

«Sei un fantasma?» chiese Camillo.

L'uomo si mise a ridere, di gusto.

«Ti sembro forse una persona normale?»

Camillo non sapeva bene che dire, e non voleva certo offendere chi lo aveva salvato dalle Ombre.

L'uomo si alzò. Gli porse la mano.

«Brian».

Camillo gli strinse la mano.

«Camillo. Ma la gente ti chiamava con un altro nome».

«Quello è il nome di quando sono sul palco. In ogni caso quelli come me sono abituati a cambiare nome».

«Quelli come te?»

«Ci chiamano i vecchi. Ma sarai d'accordo che è un modo di dire orrendo. Comunque siamo quelli che stanno sulla terra da più di un secolo. Tu quando sei arrivato?»

«Ieri».

«E quando sei morto?»

Camillo si allontanò e si mise a girovagare per la stanza.

«Io non sono morto».

«Ok. Come vuoi. Sei vivo e vegeto e in gran forma. Raccontami un po' di te, dunque».

«Non c'è molto da raccontare, riesco a ricordare solo quello che è successo da ieri sera. Ho incontrato un bambino, e poi un tipo mi ha detto che mi chiamo Camillo e che avevo un manuale nella giacca e poi si è fatta la gara a chi la sparava più grossa, tutto qui. Ho la testa che non funziona».

«Ah, Leonardo Von Qualcosa. L'ho incontrato un paio di volte. Simpatico. Ti ha detto perché è bloccato qui da secoli?»

«No».

«Meglio così. Comunque puoi fidarti di lui. È uno dei buoni».

«Anche tu sei dei buoni?»

«Ci provo, diciamo. Ogni tanto ci provo. Ma coi buoni non ha mai funzionato, troppo buon senso, troppa tristezza. Comunque i cattivi sono quelli là fuori, li hai visti, sono reali, e quando ti arrivano così vicino di solito non puoi andare in giro a raccontarlo. Quando hanno finito di sbranarti diventi come loro. Per sempre. E dunque da lì in poi le cose possono solo andare peggio».

Fece un gesto per far avvicinare il ragazzo come se fosse un gattino da convincere a farsi fare due carezze.

«Dai, non ti mordo. Vieni qui».

Camillo sentì che si poteva fidare. D'altra parte, mica potevano essere tutti matti, quelli che incontrava, no? Gli andò vicino. Brian lo fece avvicinare ancora un po', finché non poté prendergli il viso tra le mani. Lo accarezzò sulle guance, e le sue mani avevano addosso una lunga nostalgia, erano mani stanche, ma anche mani che sapevano bene cosa dovevano fare, come quelle del dottore che ti visita.

Brian lasciò che Camillo si rilassasse.

«Tutto è così triste, ma vero» disse, e la presa sul viso del ragazzo si fece meno dolce e più salda.

«Molto triste e molto vero» continuò, a bassa voce. «Troppo. Troppo per chiunque, lo so. Ascoltami bene».

Camillo ebbe l'istinto di allontanarsi, ma le mani di Brian lo tenevano ora ben fermo. Gli faceva male. Avrebbe potuto ribellarsi con la forza, ma le parole di Brian, quasi un sospiro lontano, lo bloccavano ancora più forte delle mani.

«È inutile combattere. Ragazzo, tu sei morto. Fidati. Non sei malato, non sei pazzo, sei entrato nell'immenso registro dei defunti. E quando sei morto, l'unica cosa da fare è trovare il tuo varco prima che le Ombre trovino te. Nient'altro. Bisogna imparare a organizzarsi. Ma ora ascolta bene: io adesso ti *entro* nella mente e ti faccio capire tutto. Va bene?»

«Va bene» disse Camillo, incerto.

«Fatti coraggio, perché di solito fa molto male».

Brian gli strinse forte il viso. Camillo sudava. Faceva male, sì, e gli venne da liberarsi dalla morsa delle mani di Brian quando fu colpito come da una violentissima scossa elettrica che gli alzò la temperatura corporea fino a fargli credere di bruciare.

Camillo urlò.

E dentro quell'urlo capì.

Capì che era vero.

Lui, Camillo, era un fantasma.

Quello che aveva visto era il suo passato.

Quegli strani poteri che aveva usato quasi per gioco erano propri della sua nuova natura, e se avesse accettato questa nuova natura avrebbe imparato a usarli.

Camillo urlò più forte che poteva.

Brian mollò improvvisamente la presa e Camillo cadde per terra.

Gli faceva male dappertutto. Aveva le lacrime agli occhi.

Brian lo guardò con pazienza.

«Puoi riposarti, adesso».

Brian gli porse un bicchiere d'acqua, che Camillo bevve come se non avesse bevuto nulla da anni. Si sentì un po' meglio.

Brian sorrise, e si risiedette. Sembrava esausto.

«Se fa male a te sappi che a me fa male il doppio. Purtroppo non ci si abitua».

«Ho capito molte cose» disse Camillo.

«Adesso te ne spiego un paio di altre. Lo so che è dura

da accettare. Si soffre, poi passa. Nessuno può toglierti questo dolore, adesso. Tocca a te. Se hai fortuna, hai qualcuno a cui raccontarlo. Io non ce l'ho avuta, questa fortuna. Forse per questo ho cercato un pubblico, e ci ho anche fatto su due soldi, grazie a questo dolore».

«Qual è la tua data di scadenza?» chiese Camillo.

«Ah, quella è lontana. Ho tempo. Tu?»

«Non lo so, non c'è scritta».

«Ah, tu sei quello che è qui fuori grazie a un bambino. Non era ancora arrivato il tuo momento per uscire nel mondo, una cosa strana. Non necessariamente sbagliata, ma strana».

«Come fai a saperlo?»

«Le notizie interessanti vanno veloci, oggi. Soprattutto se fai parte della chat di Whatsapp dei vecchi».

Entrò nella stanza una ragazza bellissima, coi capelli rossi raccolti in due trecce e vestita di latex rosa. Reggeva un vassoio con numerosi toast e due cappuccini. Camminava senza fare alcun rumore, avvolta dalla luce azzurra dei fantasmi.

Appoggiò il vassoio sul tavolino davanti a Camillo, gli sorrise e se ne andò senza dire nulla.

«Mi ha salvato più di una volta da un agguato di Ombre. Dovresti vederla, lei col suo piccolo esercito di guardie del corpo: gli unici fantasmi di cui hanno paura le Ombre. Mangia, mi ringrazierai» disse Brian.

Camillo mangiò quello che da principio non aveva nessuna voglia di mangiare ma che poi si rivelò il cibo più buono che potesse immaginare. E ascoltò Brian che gli spiegava tutte le cose fondamentali che un fantasma doveva sapere per usare al meglio il tempo che aveva a disposizione.

E più imparava più si sentiva disperatamente solo in un mondo che non era più il suo, che non sarebbe mai più stato il suo, dove la sua unica missione era quella di sfuggire a delle forze mostruose e riuscire a fare un terribile salto nel vuoto verso un qualcosa che nessuno sapeva che cosa fosse.

Un salto nel vuoto, proprio come quello che stava per fare in quel momento Frederic dopo essersi calato dalla finestra della sua camera con una fune fatta con le lenzuola che si era però rivelata troppo corta per portarlo fino a terra.

26
LA GRANDE AVVENTURA

Dalla finestra, Liz e il piccolo Ben reggevano la corda improvvisata e cercavano di incoraggiarlo. Avevano sbagliato i calcoli e ora Frederic poteva solo buttarsi.

«Sono solo un paio di metri!» gli disse Liz sperando che non la sentisse nessuno in casa. «Prendi lo slancio e via, c'è solo erba! Ce la fai!»

«Ci provo...» disse con voce affannata Frederic. Sembravano ben più di due metri e sentiva che non ce l'avrebbe fatta a restare aggrappato a quel lenzuolo ancora a lungo.

«Dai, prendi lo slancio e via, è più facile di quanto sembra!» disse Liz con il tono più rassicurante di cui fosse capace, anche se sentiva che avrebbe mollato la presa entro pochi secondi.

Guardò Ben, anche lui allo stremo delle forze. «Secondo me si rompe l'osso del collo» gli disse a bassa voce.

Frederic iniziò a spingersi con i piedi lungo il muro, per fare da pendolo e tentare il tutto per tutto.

Dai, forza, sfigato, al tre ti lanci, si disse Frederic, col fiatone. Ormai aveva raggiunto un buon movimento a pendolo, doveva solo lasciarsi andare e rotolare via come quelli dei film che si buttavano dalle auto in corsa «Sei, pronto? Sì, sei pronto. Al tre. Uno… Due…»

Al due Liz perse la presa del lenzuolo con un gemito e Frederic si trovò improvvisamente lanciato verso il prato in una posizione impossibile, carambolò in aria e atterrò sul prato ruzzolando dapprima sulla spalla destra (*oddio che male, me la sono frantumata*) e poi sul fianco (*ecco fatto, anche questo è andato*) e poi ancora rotolò senza più sapere dove e come finché non si fermò ai piedi dell'albero più brutto del mondo.

Rimase immobile. I due amici alla finestra cominciarono a pensare seriamente che si fosse fatto male davvero. Ma ecco che lui si alzò in piedi e Liz, dimenticandosi di ogni preoccupazione di essere sentita da qualche adulto, lanciò un urlo di felicità. Lei e Ben videro Frederic controllare se era tutto intero. Una volta constatato che le cose importanti erano senza danni (*ma che male dappertutto, accidenti*) tornò al muro sotto la finestra e fece cenno agli amici che era il loro turno di scendere. Disse che bisognava preparare una corda nuova, ovviamente più lunga.

Liz guardò in basso, disse un semplicissimo no e sparì all'interno della stanza.

Frederic vide la finestra richiudersi e rimase lì, mezzo acciaccato, a chiedersi che cosa cavolo stesse succedendo.

Dopo quasi cinque minuti, durante i quali era passato dall'attesa allo stupore e infine alla disperazione mentre si preparava a spiegare ai genitori come si fosse trovato fuori di casa senza esserne apparentemente uscito, ecco che sentì aprirsi il portone di ingresso.

Con cautela si avvicinò per vedere che cosa stesse succedendo, e vide Liz e il piccolo Ben uscire e salutare X, che era sulla soglia e sorrideva.

«Allora preparo la cena per tutti» disse la madre di Frederic. «Mi raccomando, tornate a casa per le otto. È già quasi buio e non voglio stare in pensiero. Ma Frederic?»

Liz si guardò attorno, vide il suo amico mezzo nascosto dietro l'angolo e lo chiamò con fare gioviale: «Arriviamo! Sto solo promettendo a tua madre che mi prenderò cura di voi e vi farò tornare a casa per cena sani e salvi. È anche d'accordo che io e il nanetto dormiremo da voi».

Frederic, incerto, raggiunse il trio sulla porta. Non disse nulla perché, in effetti, non aveva nulla di sensato da dire. Liz intuì che presto però avrebbe detto qualcosa di insensato e dunque glielo impedì, spiegando la situazione a modo suo: «Suo figlio era già uscito per vedere se da qualche parte in questa catapecchia riusciva a trovare tre bici, ma ora che lo vedo a mani vuote mi sembra evidente che dovremo farci una piccola scarpinata fino a casa mia, dove prenderò al volo i miei effetti personali, saluteremo i miei e torneremo qua precisi come orologi svizzeri per gustare quello che immagino sarà una cena memorabile, grazie di cuore. Ah, dato che il piccolo Ben abita troppo lontano sarebbe opportuno prestargli un pigiama di Frederic. Lo so, è basso, ma faremo di necessità virtù. I suoi li ho già avvertiti, ma se lo desidera li può chiamare lei stessa dopo. Ah, dimenticavo, io sono vegetariana e a tavola gli animali morti mi fanno vomitare. Arrivederci».

E partì, dopo aver stretto vigorosamente la mano di X, che ancora non si capacitava di quante parole potessero uscire in un tempo così breve dalla bocca metallizzata di quella ragazzina.

«Ciao, mamma, a dopo allora» disse Frederic e si avviò anche lui, cercando di zoppicare il meno evidentemente possibile. Il piccolo Ben li seguì a ruota.

X li guardò chiedendosi se aveva fatto bene a fidarsi di quella stramba ragazzina che sembra tanto fragile eppure tanto sicura di sé. E poi aveva sentito bene? Aveva davvero definito la loro villa una 'catapecchia'? Rientrò in casa non del tutto tranquilla.

Liz guardò Frederic seria.

«Ok, adesso, a parte gli scherzi: biciclette ne abbiamo?»

Lui estrasse di tasca il foglio con la fotografia della bici promessa dai suoi genitori e lo diede a Liz. Lei lo guardò, poi lo ripiegò e glielo restituì.

«Va be'» disse solo. «Lasciamo perdere. Io ho un cellulare. Voi che avete di utile?»

Frederic scosse il capo e le mostrò i resti del suo cellulare.

Ben tirò fuori di tasca e mostrò agli altri: un mozzicone di matita, una caramella vecchia, quattro ghiande, un sasso abbastanza grande, un sacchetto di stoffa che conteneva qualche fossile e un anello con una pietra forse preziosa forse di plastica che aveva trovato a terra.

Liz annuì, seria.

«Scusate, non dovevo neanche chiederlo. Andiamo».

Attraversando il vialetto, i tre ragazzini videro che la casetta al di là del muro aveva la porta aperta e che il vecchio se ne stava sulla soglia a guardarli. Una lampadina attaccata a un filo illuminava malamente l'ingresso. Il suo gufo era sul trespolo e anche lui sembrava interessato a loro.

«Chi è il vecchio?» chiese Liz.

«Non lo so, un vecchio» disse Frederic.

«Fa paura».

«Sì, fa paura. E quello lì è un gufo».

«Un gufo. Certo. Che stupida. Ovviamente. Ognuno ha i vicini di casa che si merita».

Lei fece un cenno di saluto al vecchio, ma lui non rispose e, come se fosse stata la cosa più normale del mondo allungò un braccio, lasciò che il gufo vi salisse sopra, si voltò ed entrò in casa. La luce dell'ingresso si spense.

«Andate piano» chiese Frederic che adesso che non era più sotto lo sguardo di sua madre poteva zoppicare.

«Be', non era un volo così complicato, direi. A educazione fisica hanno ragione a sceglierti per ultimo quando fanno le squadre» gli disse Liz, e lui stava già per mandarla a quel paese per averlo mollato così senza preavviso quando lei fece un sorriso innocente e sbatté le ciglia come una diva di Hollywood e lui alzò gli occhi al cielo.

«Va bene. Andiamo a cercare il mio amico senza perdere tempo».

Percorsero il giardino, aprirono il grande cancello con i draghi e a quel punto Liz si fermò, come se avesse dimenticato in casa qualcosa. Poi piantò i suoi occhi viola in quelli di Frederic.

«Non ci pensare neanche» disse.

«A cosa?» chiese Frederic cadendo dalle nuvole.

«A innamorarti di me».

«Eh?»

Questo 'eh?' era in effetti tutto quello che i neuroni di Frederic fossero in grado di produrre in quel momento. Forse avrebbe tentato una qualche risposta, ma lei non gli diede tempo e tutto d'un fiato disse: «Allora, dato che stiamo per buttarci in un'avventura molto più grande di noi, è bene mettere in chiaro due o tre cose. Io sono più grande di te e anche se adesso si nota poco, tra un attimo io sono quella che se ne va in giro con quelli con la macchina e tu sei ancora lì in cortile in pantaloni corti a giocare con le biglie e ti stai chiedendo perché io non arrivo. Ecco, la risposta del perché io non arrivo te la do adesso: non ho intenzione di spezzare il cuore di nessuno. Lo so benissimo, al momento mi trovo intrappolata in questa apparenza di racchia senza speranza, ma io lo so, io lo so dal profondo del mio cuore, che è solo questione di tempo per smettere di essere un brutto sfigatissimo anatroccolo con l'apparecchio e diventare il cigno meraviglioso che mi merito di essere, per cui è solo questione di tempo che numerosi cuori comincino a frantumarsi per me e allora, per essere davvero limpida e onesta come sono da sempre, ecco un bell'avvertimento: non innamorarti di me. Ecco, non potrai dire che non te lo avevo detto e dunque non voglio proprio nessuna responsabilità per eventuali tragedie nella tua futura adolescenza. Sono stata chiara?»

Frederic riuscì solo ad annuire col capo che lei si era già girata ed era partita di gran passo verso la città.

Frederic guardò il piccolo Ben.

«Ha fatto anche a te questo discorso?»

Il piccolo Ben annuì, serissimo. E con un gesto fece capire che lo aveva fatto proprio uguale.

«Molto bene. Vogliamo seguirla?»

Il piccolo Ben annuì ancora.

E partirono, lasciandosi alle spalle la casa stregata e l'albero più brutto del mondo per andare incontro al loro destino, con quella magica incosciente purezza che solo i bambini sanno avere.

Dovevano trovare Camillo. Frederic era sempre più

preoccupato di quello che sarebbe potuto succedere al suo amico da solo in quella città.

E poi, se Camillo era davvero un fantasma, e se tutta la storia di Leonardo era vera, bisognava aiutarlo a trovare il modo per andare via dal mondo prima che lo catturassero le Ombre.

«Non gli succederà niente» disse Liz, come se gli avesse letto nel pensiero. «Non gli succederà niente se ci diamo una mossa e lo troviamo».

Come trovare una persona sola in una città tanto grande?

Cercando.

E confidando nella fortuna.

Era molto probabile che quel ragazzo non sarebbe rimasto inosservato. Avrebbe molto probabilmente combinato qualcosa di strano.

E quando succede qualcosa di strano c'è gente che va a vedere, si crea un qualche trambusto.

Bastava andare in giro e non fermarsi fino a quando non avessero visto un po' di confusione.

Poi avrebbero dovuto solo convincerlo a tornare a casa evitando di essere assaliti dai mostri.

Il tutto preferibilmente prima di cena.

27
TUTTE LE LUCI DI QUESTO MONDO

Camillo camminava da solo, davanti a lui la stazione di Porta Nuova: era già passato da lì, ma non ricordava quando.

Continuavano a ronzargli in testa le parole di Brian. E più giravano le parole in testa, più a sua volta gli girava la testa, e avrebbe voluto solo addormentarsi, finalmente, o prendere un treno e andare da qualsiasi parte, ma un posto bello, un posto che non facesse paura.

Nel frattempo, andava avanti, senza una meta.

Sentiva che adesso doveva cavarsela da solo.

Adesso che gli avevano spiegato tutto.

Adesso che aveva capito tutto.

Non c'era molta gente in giro.

Il cielo era grigio, e cominciava a fare freddo.

Sotto i portici alcune persone si stavano organizzando per passare la notte con qualche foglio di cartone e un paio di vecchie coperte. I più fortunati avevano un cane. Nessuno parlava, stringevano i denti per non lasciare che la notte gelida entrasse nei loro cuori fragili.

Uno di loro, con un pallido bagliore azzurro, gli fece un cenno di saluto. Aveva lo sguardo vuoto, la barba lunga e l'aria di uno che non si preoccupava più di nulla, forse neanche della propria data di scadenza o della minaccia delle Ombre.

Camillo ricambiò il saluto e continuò a camminare.

Vide altri fantasmi che passavano a bordo di un grosso camion della nettezza urbana. Ecco, loro si erano organizzati, avevano un lavoro.

Passando vicino a un vicolo, con un terribile brivido lungo la schiena vide delle Ombre che avevano catturato un fantasma. Gli erano addosso, come leoni che banchettano con la loro preda ancora viva. Le Ombre lo videro, ma subito tornarono al loro macabro pasto: per quella notte avevano di che sfamarsi. Anche solo per un istante, incrociare il loro sguardo mostruoso fu un'esperienza terribile.

Camillo abbassò lo sguardo e l'unica cosa che gli venne in mente era che aveva male ai piedi.

Ma i fantasmi hanno male ai piedi?

I fantasmi hanno fame o sete?

Si sentì colpire da uno spintone violento e poi sbattere contro un muro.

Erano arrivate le Ombre anche per lui?

Impossibile, adesso era in un luogo pubblico, c'era gente in giro. Le Ombre non avevano nessun potere se non ti coglievano disperatamente solo.

Si trattava di un umano, con un coltello in mano e gli occhi iniettati di sangue.

«Dammi i soldi o ti pianto questa roba nel collo» gli disse, mentre neanche un passante si fermava.

Camillo lo fissò negli occhi. Vide con chiarezza tutta la vita di quel povero disgraziato, e ne provò una tenerezza infinita. E poi gli fece vedere, dal profondo del fondo delle sue pupille, quello che lui era diventato: un fantasma, un morto, uno che portava dentro di sé l'abisso di un tempo che non era più umano.

Mai far vedere ai vivi quello che risiede nel cuore dei morti. Questo c'era scritto nel manuale, a pagina 246, a un certo punto della voce 'Rapporti personali con i viventi'.

Quello che in effetti l'uomo vide fu un abisso senza fondo, e capì che il suo presente era più buio di quell'abisso.

«Scusa» riuscì solo a dire, allontanandosi di qualche passo.

«Non è niente» replicò il fantasma, e riprese il suo cammino con il cuore ancora più pesante.

Possibile che in un mondo così bello ci fossero la povertà, le guerre, le malattie, la tristezza e il dolore? Non si rendevano conto di essere vivi? Quel mondo nel quale si era risvegliato dopo il suo lungo sonno era davvero meraviglioso. Ogni luce, ogni passante, ogni riflesso del cielo nelle pozzanghere, ogni immagine attaccata ai muri, ogni vetrina, ogni portone... Tutto era una promessa, ma solo per i vivi.

E quelle strade, così lunghe e misteriose, contenevano viaggi solo per chi poteva ancora andare alla scoperta del mondo.

Non era giusto.

Lui aveva solo diciotto anni, erano troppo pochi per dover rinunciare a tutto quanto! Sentiva dentro di sé qualcosa che forse non era vita ma era desiderio: un'avventura, un amore, una casa alla quale tornare, un'emozione ancora da provare.

Guardò il cielo.

E capì che quelle meraviglie sembravano a portata di

mano, ma la sua mano era solo quella di un fantasma: i sogni non erano più roba per lui, gli scorrevano tra le dita come sabbia sottile.

Una breve corsa in un tempo lontano, un tempo di guerra, gli aveva tolto tutto. Per sempre. Era morto, in un posto che una volta era un bosco bellissimo di alberi bianchi, ma che era stato ridotto dagli uomini a un macello per uomini.

Che disperazione gli piovve definitivamente addosso.

Mise le mani su una piccola fontana verde che aveva il rubinetto fatto a forma di toro, la sradicò da terra, spezzando le tubature e sparando spruzzi di acqua gelata dappertutto, e la scagliò con tutta la sua forza contro la vetrina di un negozio pieno di televisori accesi.

La vetrina esplose con fragore e mandò pezzi di vetro ovunque.

L'acqua sparata dappertutto, i televisori spezzati, i cavi elettrici esposti: in un attimo tutto andò in corto circuito e fu l'inferno con fiamme e fumo e scintille. Camillo restò quasi ipnotizzato da quello spettacolo catastrofico, poi le ginocchia gli cedettero e cadde a terra, bagnato fradicio, pianse tutte le lacrime che gli erano rimaste dentro da quando si era nascosto dietro un albero spezzato e non aveva avuto il coraggio di allungare la mano per salvare un compagno ferito.

Restò lì, in ginocchio per terra col viso tra le mani.

Arrivarono i Vigili del Fuoco e la Polizia. L'incendio fu domato in poco tempo e chiusero le tubature della fontana. Era gente in gamba, e in città di notte erano abituati a vederne di tutti colori, ma la speciale disperazione di quel ragazzo li turbò: non era una delle solite anime in pena con le quali si giocavano le notti da anni, no, sembrava qualcuno che veniva da un altro pianeta, lui, dal corpo così magro e dallo sguardo così antico. E così furono particolarmente cauti nell'alzarlo da terra e nel mettergli le manette ai polsi.

Camillo avrebbe voluto spiegare, ma spiegare che cosa? Che era un fantasma disperato? Che avrebbe voluto tanto seguire una per una tutte le luci di questo mondo per vedere dove lo avrebbero portato, ma aveva scoperto che quelle luci non le avrebbe potute seguire mai più?

È impossibile capire cosa prova un fantasma a meno di non essere un fantasma.

Anche questo lo aveva letto nel manuale. A pagina 874, sorprendentemente sotto la voce 'Ricette facili per pietanze perfette da abbinare a toast e cappuccino'.

Sentiva che stava per scoppiare a piangere... quand'ecco che sentì improvvisamente che gli veniva da ridere: aveva appena visto Frederic dall'altra parte della strada. Era con i suoi amici e stavano correndo verso di lui!

28
FATE SILENZIO

La ricerca per la città era stata da subito difficilissima. Spostarsi a piedi rendeva tutto più complicato, e non avevano neanche una fotografia di Camillo da mostrare alla gente, né avevano idea di dove un ragazzo fantasma nelle sue condizioni sarebbe potuto andarsi a cacciare.

Dopo due ore di giri a vuoto, lo sconforto cominciava a mordere i loro polpacci e gli faceva venire voglia di mollare tutto.

Ma non potevano lasciarlo solo.

Era ormai buio. Potevano esserci Ombre dappertutto.

Erano arrivati in una piazza bellissima nel pieno centro. Portici molto eleganti, un paio di chiese gemelle a fare da sentinelle alla via principale e, in centro, un grande monumento di un uomo a cavallo.

«Che si fa adesso? Si va in una di quelle chiese, accendiamo un candela e speriamo in un miracolo?» chiese Liz, mentre si toglieva una scarpa e si massaggiava un piede indolenzito. Aveva la calza bucata, ma sembrava che non gliene importasse niente.

«Siamo troppo stanchi per i miracoli» disse Frederic. «In effetti non si è mai sentito che un pirata trovasse un tesoro senza mappa e senza nessuna idea. Noi la mappa non ce l'abbiamo, però io un'idea adesso ce l'avrei. Fate silenzio».

E si piazzò seduto per terra, a gambe incrociate, proprio sotto il monumento, davanti al muso del cavallo. Chiuse gli occhi e restò lì, senza dire nulla, cercando di respirare il più piano possibile.

«Se eri stanco, bastava dirlo» disse Liz. «Sono stanca anch'io».

Frederic non replicò, mise solo un dito davanti alla bocca, per imporle il silenzio.

Il piccolo Ben guardò Liz e si tamburellò il dito sulla tempia, per dire che forse nel frattempo purtroppo era saltata qualche rotella a Frederic e la ragazzina annuì.

«Proprio normale non lo è mai sembrato. Tanto vale dargli corda» disse, e si rimise la scarpa e si sedette anche lei a terra. E così fece Ben.

Stettero lì seduti per cinque minuti, o poco più. Non successe nulla fino a quando Frederic aprì l'occhio sinistro e chiese: «Siete ancora qui?»

«Siamo ancora qui» disse Liz.

«Grazie».

E tornò a fare quello che stava facendo a occhi chiusi.

Improvvisamente Frederic balzò in piedi e urlò: «L'ho visto!»

Liz si alzò anche lei, e lo guardò storto: «E che cavolo, mi hai fatto venire un infarto. E che cos'è che hai visto?»

«Lui!» esclamò Frederic, che non stava più nella pelle. «Dai, per di qua, seguitemi! Laggiù c'è la stazione, vero? Andiamo dritti e poi dovrebbe essere a destra, da quello che ho visto».

«Cioè hai visto dove sta il fantasma?» chiese Liz, seguendo assieme a Ben l'amico che era partito di corsa.

«Sì! Lui, è nei guai! Dobbiamo sbrigarci!» rispose senza voltarsi. E poi dopo alcuni passi si fermò e, infervorato, aggiunse: «Da quando l'ho incontrato, lui sente i miei pensieri, le mie emozioni, e allora mi sono detto: se li sente lui, perché non posso provare a sentire qualcosa anch'io, che sono dall'altra parte?»

E ripartì, senza esitare.

Liz non ci pensò neanche a controbattere, anche perché stavano andando così veloci che cominciava ad avere un po' di fiatone.

Uscirono dalla piazza, attraversarono un paio di incroci quand'ecco che, svoltato un angolo, videro una macchina della Polizia con i lampeggianti accesi. Una fontana sfasciata. Un negozio distrutto. E infine Camillo, sì, proprio lui: sembrava il ragazzo più triste del mondo. Finché non li vide.

Loro gli corsero incontro, lui si tolse senza alcuna fatica le manette e li abbracciò così stretti che sembrava non volesse lasciarli mai più.

Poi si ricordò dei due poliziotti e cercò di spiegare ai suoi amici la sua situazione: «Vedete, ho fatto una cosa davvero stupida, e non so come sistemarla... adesso credo che mi debbano portare via».

I poliziotti annuirono, anche se con un certo imbarazzo, dato che nel frattempo lui si era rimesso le manette da solo.

«È solo il nostro dovere» disse uno dei due. «Quindi, per favore, ci deve seguire. Poi ci spiega come ha fatto con le manette».

«Il fatto è che queste robe fanno molto male ai polsi,

volete provare?» gli chiese Camillo, sfilandosele di nuovo e ammanettando assieme i due poliziotti, che si misero disperatamente a cercare di liberarsi.

«Che roba è, uno scherzo?» chiese l'altro poliziotto. «Siete tutti pagati da un programma?»

«Cos'è un programma?» chiese candidamente Camillo.

«Un programma tivù. Quelli con le telecamere nascoste».

«Non lo so, non credo. Non è che mi lasciate andare via con i miei amici?»

«Temo di no. La legge è la legge» replicarono i due, poco convinti.

Anche i ragazzini si misero a insistere per portarsi via Camillo, e alla fine riuscirono a mettersi d'accordo: se Camillo li avesse liberati dalle manette e avesse promesso di non combinare più guai e di non raccontare a nessuno la loro figuraccia, sarebbe stato libero di tornare a casa senza problemi.

I ragazzini promisero che avrebbero vegliato sul loro amico.

Andando verso casa, Liz si mise a ridere senza freni, ma Camillo la prese per mano e disse serio: «Adesso vi prego portatemi a casa. È vero, sono un fantasma, adesso lo so, ma sono un fantasma davvero stanco. Stanco morto».

29
MA COM'È ESSERE UN FANTASMA?

Arrivati a casa miracolosamente in tempo per cena, i nostri quattro si fermarono un attimo ai piedi dell'albero più brutto del mondo. La ferita del fulmine sembrava guarita, rimaneva solo una cicatrice strana, ma non c'era più traccia di insetti né di cose schifose.

«Uguale uguale alla cicatrice che ha mio zio Giuseppe sulla pancia da quando lo hanno operato due anni fa, solo che quella dello zio fa un po' più schifo» commentò Liz, che aveva monopolizzato l'attenzione di Camillo per tutto il tragitto facendo mille domande e raccontando diecimila cose che aveva letto in libri e racconti di fantasmi. Le era sempre sembrata una colossale scemenza la faccenda del lenzuolo e gli disse che era contenta che lui fosse vestito come una persona normale. Ma la cosa che in effetti premeva sapere a tutti e tre i ragazzini era molto semplice: volevano sapere che cosa c'era di diverso tra essere vivo e essere un fantasma.

«È tutto più grande, più forte. È come avere una pelle più sottile e i sensi più potenti, e c'è un sesto senso, un settimo, tantissimi altri sensi. Ma non si capisce bene, vero?»

«No, non si capisce» replicò Liz.

Mentre erano lì, molto stranamente data la stagione, comparve una lucciola. Con la sua piccola luce pulsante si avvicinò piano piano a Camillo e rimase lì, come se fosse stata anche lei curiosa di quel ragazzo alto e magro e triste. Lui allungò la mano e lei gli si posò sul palmo. Ora sembrava più luminosa. Lui la guardò, con affetto. Poi guardò i ragazzini.

«Non sono capace di spiegarvi come sia essere come me» disse infine. «Ma forse ve lo posso far vedere».

Arrivarono altre lucciole, prima due, timide, poi cinque, più rapide, poi così tante che non si potevano contare. Tutte andavano verso Camillo, che le aspettava con le braccia aperte.

«Non bisogna mai chiudere gli occhi, bisogna guardare tutta la luce che possiamo».

A questo punto c'era una specie di firmamento tutto attorno a loro, mille stelle che ballavano piano e tutto il mondo sembrava nero, c'erano solo le lucciole, quando anche le stelle del cielo cominciarono a brillare di più, ora si vedevano bene le costellazioni, la Via Lattea, e molte stelle cadenti attraversarono il cielo.

Tutto era buio.

Tutto era luce.

Il mondo non c'era più.

C'erano solo loro quattro. E le lucciole. E le stelle.

Camillo rise piano.

«Vedete quanto è importante?»

Rimasero così per un tempo indefinibile, poi lui disse piano: «Grazie, amiche mie».

Le lucciole piano piano se ne andarono.

Le stelle piano piano tornarono nella notte.

Si accorsero che Camillo aveva le guance rigate dalle lacrime. Era pallido, e sembrava invecchiato.

Lui chiuse gli occhi. A bassissima voce disse: «Io da solo non ce la faccio».

E improvvisamente cadde a terra.

Bisognava fare qualcosa, portarlo dentro, al caldo e al sicuro.

Frederic gli chiese di rendersi invisibile, poi lo prese sotto le ascelle mentre gli altri due gli presero i piedi e andarono verso la porta di casa. Bussarono.

Ora, trascinare un fantasma semi svenuto, invisibile ma pesantissimo, senza fare la figura del deficiente di fronte ai suoi genitori era un'impresa quasi impossibile, ma Frederic decise di provarci lo stesso.

Seguiti dallo sguardo interrogativo di Alessandro e di X, i tre si diressero verso le scale, sudando per la fatica ma apparentemente senza trasportare nulla.

«Windermere è tornato» disse Frederic, sbuffando per lo sforzo, salendo i gradini al contrario. «Solo che è svenuto, forse per il jet leg, non so. Lo portiamo in camera».

E tutti e tre scomparvero lentamente al piano superiore.

X riuscì solo a dire, a un certo punto, ad alta voce per farsi sentire di sopra: «Bene, però fate presto che la cena è in tavola».

Da sopra arrivò un affannato: «Veniamo subito!»

Alessandro guardò X, incerto sul cosa pensare.

«Windermere è tornato».

«Non è che questo bambino sta un po' esagerando con la fantasia?» disse X.

«Non si esagera mai con la fantasia».

«Speriamo bene».

«Erano anche bravi, come mimi. Sudavano persino, l'hai visto?»

«Già».

Tornarono verso la sala da pranzo. X gridò rivolta verso il piano di sopra: «E mi raccomando lavatevi le mani!»

«E guardando il marito aggiunse: «Chissà in che condizioni è arrivato Windermere, sarà sporchissimo».

In camera, i tre ragazzini fecero sdraiare Camillo sul letto e gli chiesero che cosa potessero fare per lui.

Lui, che era nel frattempo tornato visibile, rispose con un filo di voce che era solo molto stanco.

«Roba da fantasmi» aggiunse con un mezzo sorriso. «Andate a mangiare e dopo spero che starò meglio».

Chiuse gli occhi e si addormentò profondamente.

Loro tre lo guardarono per un poco, incerti sul da farsi.

«Sembra morto» disse Frederic.

«*È* morto, babbeo» disse Liz.

«Già. Però respira».

«Roba da fantasmi» concluse la ragazzina. «Dai, andiamo a mangiare. Spero che per cena ci sia qualcosa di meglio delle porcherie che sono costretta a mangiare a casa mia».

«I tuoi cucinano male?»

«Sono io che cucino male, siamo una famiglia di disgraziati, ognuno apre il frigo all'ora che gli pare e mangia. Io però sono all'antica, e mi piace sedermi e fare le cose come si deve, peccato che come cuoca faccio schifo».

La cena si rivelò ottima, e Frederic riuscì persino a rilassarsi: fantasma addormentato in camera sua a parte, questa era la serata normale che desiderava da tanto tempo: mamma e papà e degli amici. E i piedi doloranti che ti ricordano che tu, quel giorno, lo hai misurato davvero tutto e come si deve.

Mangiarono tutto e con gusto.

Finito di sparecchiare, i tre schizzarono al piano di sopra con qualcosa da mangiare nel caso il signor Windermere si fosse svegliato affamato.

I genitori di Frederic avevano preparato pigiami freschi di bucato per tutti (Liz si inventò sul momento una buona e *lunghissima* scusa per essere passata da casa senza però prendere le sue cose), e per i due ospiti anche un trio di asciugamani e uno spazzolino da denti ancora nella sua confezione. Erano persino riusciti a inventarsi due lettini fatti con i cuscini di un grosso divano appena arrivato.

Camillo dormiva ancora.

Il suo russare lieve conciliava il sonno e dunque senza più parlare si misero tutti sotto le coperte. Frederic, il cui letto era occupato da Camillo, si sistemò alla meno peggio con un paio di plaid per terra: non era il massimo della comodità ma quella notte avrebbe potuto dormire anche in piedi.

Il primo a addormentarsi fu Ben, che aveva stampato sul volto un sorriso grande come una casa: quell'avventura, per quanto complicata e spaventosa, era la migliore che avesse mai vissuto.

Poi fu la volta di Liz, che si abbandonò al sonno nel mezzo di una frase dove metteva ancora in dubbio la reale natura fantasmatica del ragazzo, sostenendo che buona metà del suo parentado era più stramba e inquietante di lui. Ma non ci credeva più tanto neanche lei, e scivolò nel mondo dei sogni.

Frederic invece, per quanto stanco, tardava a prendere sonno. Vide che la sua amica ce l'aveva davvero un tatuaggio. Sulla schiena si intravedeva un coloratissimo drago cinese. Gli sembrò una cosa terribilmente *da grandi*. E poi aveva ritrovato in una tasca dei pantaloni il biglietto da visita di Leonardo. Guardandolo con curiosità, si accorse che oltre al suo nome ora c'era l'indirizzo del Club, che veniva identificato semplicemente come The Club®.

Corso Francia, 186/192, 10145 Torino, Italia.

E sul retro, una frase stampata che prima non c'era.

La frase era: *Vieni domani, Frederic.*

30
CRUDELIA

Frederic prese il manuale di Camillo.

Lo sfogliò, era pieno di capitoli, note, illustrazioni, schemi, diagrammi e milioni di dati statistici. Sembrava fatto apposta per essere incomprensibile.

Tipo alla voce: 'Durata dell'esistenza ectoplasmatica'.

Lesse: Per ognuno il tempo da passare in attesa sulla Terra è variabile. La durata è la giusta durata. Anche se si potrebbe pensare che aver più tempo per trovare la chiave e il varco sia meglio, non è così. Lunghe durate presuppongono lunghe ricerche e viceversa, anche se sappiamo di durate lunghissime abbinate a ricerche quasi banali, dunque per ora è pressoché impossibile trarre una regola sempre valida. Se qualcuno ritiene che gli sia stato assegnato un compito sbagliato è pregato di stampare, compilare e spedire in triplice copia all'Ufficio Dubbi il modulo 86BIS che potete trovare nella sezione 'Appendici, note e moduli'. Per ogni dubbio, chiamate il numero verde che troverete sotto la voce: 'Contatti'.

Sfogliò ancora.

Trovò la voce: 'Come combattere le Ombre'.

Lesse: Lasciate perdere e scappate.

Però poi a fondo pagina c'era una nota:

Una volta trovata la chiave, se non avete fretta di varcare la soglia potete sconfiggere le Ombre usando la chiave stessa come arma. Ma non risulta che mai nessuno l'abbia fatto, dunque lasciate perdere.

E ancora, alla voce: 'I fantasmi esistono davvero?'

Lesse: Da secoli la definizione corretta dello status esistenziale dei fantasmi è oggetto di dibattiti e simposi. Lo stato intermedio che si situa tra l'oggettività dell'essere vivente e l'inconoscibile essenza di quello che dall'altra parte del varco può essere considerato 'reale'...

Frederic chiuse il manuale.

Decise di scendere.

Voleva salutare suo padre. Magari anche provare a raccontargli le cose incredibili che erano successe.

Si era però dimenticato che aveva un appuntamento di lavoro, e quando sentì la voce di Crudelia capì di aver scelto il momento sbagliato.

La porta dello studio era socchiusa. Riusciva a vedere Crudelia, che sorrideva. Suo padre invece sembrava assente, senza forze. Questa cosa fece un'enorme pena a Frederic, che provò l'impulso di andarsene subito via, ma non lo fece: voleva capire che cosa stesse succedendo.

Crudelia accese una sigaretta con una lentezza esasperante. Poi assaporò un paio di boccate come se fossero state l'unico piacere della sua vita. Tra una boccata e l'altra contemplava le tracce di rossetto che stava lasciando sulla sigaretta.

Poi disse una cosa orribile.

«Quelle poche pagine che mi hai dato da leggere sono da buttare, non c'è vita, non c'è più vita in quello che scrivi. Sei solo l'ombra di quello che eri una volta».

Alessandro non disse nulla.

E lei sorridendo continuò.

«Lo dico perché ti voglio bene. Mettiti il cuore in pace e lascia perdere la scrittura, vivrai molto più felice».

Crudelia tirò un'ultima boccata alla sigaretta e poi la buttò sul pavimento di legno, si infilò lentamente i guanti di pelle e un cappotto nero col collo di astrakan.

«Dammi retta, sarai un persona più felice. Magari riuscirai anche a diventare un padre come si deve».

Alessandro non riusciva a pensare a niente. Gli venne solo in mente una canzone che aveva sentito per la prima volta da ragazzino e che gli proponeva un enigma che non era mai stato capace di risolvere.

Amico fragile, di Fabrizio De André.

Pensavo è bello che dove finiscono le mie dita debba in qualche modo incominciare una chitarra.

Erano anni che Alessandro si chiedeva che cosa cominciasse dove finivano le sue dita. Un foglio bianco? Un computer muto?

La verità era che le sue dita finivano dove finivano le sue dita, e non c'era nulla in lui che potesse essere davvero utile al mondo. E dunque poteva solo abbracciare il silenzio.

Alessandro sembrò a Frederic un vecchio che viveva su un altro pianeta. Se ne tornò di corsa in camera sua.

Camillo, Liz e Ben dormivano.

Da quando era nato lui suo padre non era più stato capace di scrivere. Per Frederic, in effetti, la carriera di Alessandro come scrittore famoso apparteneva a un mondo leggendario, un mondo alieno: il mondo Di Prima Che Lui Nascesse. Gli sarebbe tanto piaciuto vederlo con un libro nuovo in mano, felice, ma non era mai successo.

Frederic sentì scorrergli maligna giù per lo stomaco la convinzione che era tutta colpa sua.

Se non fossi nato, lui sarebbe ancora quello che aveva sempre sognato di essere.

Guardò verso la finestra chiedendosi che effetto avrebbe fatto stare sveglio finché non fossero comparsi i primi raggi dell'alba.

Ma la giornata era stata lunga e con milioni di pensieri che andavano ordinati, per poter essere un giorno ricordati, e capiti, e forse addirittura raccontati, per cui dopo non molto si addormentò, sprofondando in un mondo senza sogni e senza incubi.

Verso le sette, i ragazzini vennero svegliati da Camillo: era ancora a letto, ma aveva gli occhi aperti e il corpo sconvolto da convulsioni violentissime. Frederic lo toccò e subito ritrasse la mano: sembrava avere una temperatura corporea vicino allo zero.

«Sta male» disse Liz, spaventata. «Ha delle allucinazioni. Aiutatemi a svegliarlo.»

Tutti e tre gli si avvicinarono e provarono a tenerlo fermo mentre Frederic lo chiamava per riportarlo alla realtà.

Ma così non fu.

Fu Camillo che trascinò tutti e tre i ragazzini nell'alba livida di un giorno di tanto, tanto tempo prima.

31
VERSO L'INFERNO

Sto camminando lungo una trincea, scavata nella terra e tenuta insieme da pezzi di legno e sacchetti di sabbia. È molto stretta ed è poco più alta della mia testa. Fango dappertutto, una puzza terribile.

C'è un frastuono assordante, dalle nostre postazioni l'artiglieria sta sparando tutto quello che può verso il nemico. Ci piove addosso la terra spostata con violenza dalle esplosioni.

Passo accanto a una fila interminabile di uomini immobili, con lo sguardo fisso. Qualcuno parla da solo, qualcuno prega, qualcuno vomita.

C'è gente seduta per terra che trema, per la febbre, per la paura. C'è uno che sta seduto e mangia con calma qualcosa da una scatoletta. Un altro sta dicendo a un compagno: «A Caporetto siamo morti in trecentomila», poi ride.

«La nebbia si sta alzando. Ragazzi, siamo morti tutti ma dobbiamo uscire» dice un giovane tenente, tra le lacrime.

Poi estrae una rivoltella e la punta verso di noi. So che chi non va all'assalto viene giustiziato sul posto.

I tuoni dell'artiglieria uno dopo l'altro tacciono.

Silenzio.

«Tre minuti» dice il tenente.

Mi asciugo il sudore, imbraccio il fucile, prendo un doppio nastro di proiettili e me li metto in spalla, sistemandoli in modo che non mi diano fastidio nella corsa.

Prendo una lettera dalla tasca della giacca. Con un mozzicone di matita, dopo la firma, aggiungo queste parole: 'Non essere triste perché io tornerò. Te lo prometto, tornerò da te. Vittorio Veneto, 1 novembre 1918'.

La chiudo. Sul retro c'è scritto: 'Soldato Camillo Montegioco'.

«Due minuti», dice il tenente.

Il cappellano dà l'estrema unzione ai soldati. Qualcuno impreca, altri baciano un crocifisso, un'immagine sacra, una fotografia.

«Un minuto».

Nessuno respira.

«Avanti, Savoia», dice il tenente. Non lo grida. Lo dice, come se stesse parlando tra sé. Non riesce a smettere di piangere.

Uno dopo l'altro i soldati si riversano fuori dalla trincea e corrono in avanti.

Chiudo la lettera.

Quando tocca a me, la passo al cappellano, vorrei dire qualcosa, muovo le labbra ma le parole non riescono a uscire.

Esco dalla trincea, scivolando nel fango, corro in avanti, verso non so cosa, ma corro veloce, più veloce che posso.

Dieci metri, venti metri.

E ancora silenzio.

Sento il fiato dei soldati accanto a me, il rumore degli scarponi che si staccano a fatica dal terreno.

Qualcuno dice delle cose, ma non capisco.

Trenta metri.

In lontananza le mitragliatrici iniziano a cantare.

32
LE PRIME PAROLE DEL PICCOLO BEN

Camillo si svegliò, e tacque a lungo.

E anche Frederic, Liz e Ben rimasero lì in silenzio. Attorno a loro, una stanza che non riconoscevano più.

Avevano visto la guerra.

Tutti e quattro respirarono a pieni polmoni quell'aria finalmente respirabile.

Dopo anni di silenzio, il piccolo Ben disse: «Porca di quella porca miseria porca».

I suoi amici lo guardarono.

Liz scoppiò a ridere.

«Be', almeno si è sbloccato» disse.

E un po' per la sorpresa, un po' per la felicità di essere lì, vivi, anche Frederic e Ben scoppiarono a ridere. Ma solo per un attimo, perché Camillo si era alzato e si stava tormentando il viso e i capelli con le mani ed era pallido come un… va be', pallido.

«Sono morto nel 1918» disse.

«Un secolo fa» commentò Frederic.

«Dov'è Vittorio Veneto?» chiese il piccolo Ben.

Tutti si voltarono di scatto verso di lui, non si erano ancora abituati al suo passaggio dal muto al sonoro.

«Alla fine della lettera lui scrive che è in un posto che si chiama Vittorio Veneto».

«Giusto. Dobbiamo trovare su internet dov'è Vittorio Veneto. E che cosa è successo nel 1918» disse Frederic. «C'era una guerra, ma non sono sicuro di quale».

«La rivoluzione francese!» disse trionfante Ben.

Liz lo guardò come avrebbe guardato un pesce rosso girare a vuoto nella boccia, e poi disse: «Era meglio quando stavi zitto. Senza offesa, ovviamente».

«La rivoluzione americana?» propose timidamente Ben.

«C'era una guerra mondiale nel 1918, babbeo. E dal nome suppongo che Vittorio Veneto sia in Italia, ma quella roba non l'abbiamo ancora studiata».

In quel momento sentirono un rumore uguale a quando nei fast food buttano una badilata di patatine semi-surgelate nell'olio bollente.

Era il manuale che, per terra, sussultava, come se fosse stato una cosa viva. Poi si fermò, e tutti videro con meraviglia che dalle sue pagine emanava un lieve bagliore.

«Il mio manuale» disse Camillo, e andò a raccoglierlo. «Finora non è servito a molto».

La luce aumentò di intensità fino a diventare abbagliante. Sembrava che provenisse da una pagina specifica. Camillo sfogliò il manuale e tutti quanti videro che nell'ultima pagina era comparso un rettangolo dorato.

«A che cavolo serviva già questo stupido robo dorato?» chiese Liz, dissipando buona parte della magia del momento.

«La data di apertura del varco» rispose Frederic. «Così mi aveva detto ieri quel tipo strano».

«Leonardo» disse Liz.

«Leonardo Van Qualcosa, sì. E dice che ci aspetta al suo club».

«Dice in che senso?» chiese Ben.

«Il biglietto, lo dice» e glielo mostrò.

Ben e Liz lessero il biglietto, in effetti era così.

Ora c'era anche scritto: *Non perdete tempo.*

Intanto Camillo stava cercando di grattare lo spazio dorato sul libro per vedere che cosa ci fosse sotto, ma non ottenne nessun risultato, né con le unghie né con la fibbia della sua cintura.

«Il manuale diceva che ci vuole una moneta d'oro» disse Frederic, e si fiondò verso il suo zainetto, tirò fuori tutto ma non trovò quello che cercava.

«Geniale» disse Liz. «Noi abbiamo sempre le tasche piene di monete d'oro».

«Io ne ho una...» disse Frederic capovolgendo lo zainetto e scuotendolo, senza successo. «Cioè, ne avevo una...»

Tutti quanti si misero a cercare con lui per terra, negli angoli, sotto il materasso, finché il piccolo Ben non emise un grido di giubilo: aveva trovato la moneta d'oro.

«Si era infilata nello spazio tra due assi» spiegò. E la porse a Frederic.

Il ragazzino la sollevò per mostrarla agli altri. Luccicava meravigliosamente.

«Questa moneta ha una storia lunga» disse solennemente. «Viene da un tesoro di pirati e me l'ha regalata mio papà». E la lanciò a Camillo, che l'afferrò al volo.

Mentre Camillo l'appoggiava al libro e stava per iniziare a grattare, Frederic aggiunse: «Se non è d'oro vero e mio papà mi ha detto una bugia mi sparo».

Ma la moneta era d'oro vero e piano piano lo spazio

dorato venne grattato via, disperdendosi nella luce mattutina come una polvere di stelle.

Ed ecco comparire una data.

Tutti si avvicinarono per vedere bene.

«Oggi» disse Liz.

«Oggi» disse Ben.

«Oggi» disse Frederic.

«Il varco si aprirà allo scoccare della mezzanotte di oggi» spiegò Camillo.

Liz controllò il suo orologio di plastica con calcolatrice che le dava un'aria da nerd ancora più dei vestiti e tutto il resto.

«Mancano 16 ore» disse. «Dobbiamo muoverci...»

Non finì la frase perché le scappò un urlo di terrore che fece accapponare la pelle a tutti.

Alla finestra era comparsa per un attimo la faccia mostruosa di un'Ombra. A tutti fu chiaro che ora la minaccia si stava facendo più pesante.

«Ma perché le Ombre ce l'hanno tanto con lui?» chiese Ben. «In fondo è pieno di fantasmi, in giro».

Frederic lo guardò serissimo.

«Forse ce l'hanno con noi» disse. «Dai, non perdiamo tempo, facciamo finta di andare a scuola come se fosse un giorno qualsiasi».

Camillo gli si avvicinò e gli fece una timida carezza sulla guancia.

«Forse è davvero meglio che voi andiate a scuola» disse. «Da Leonardo ci posso anche andare da solo».

Tutti e tre lo guardarono a dir poco stupiti. E fu Liz la prima a dire quello che pensavano: «Come no, e così ci perdiamo il meglio».

Camillo sentì un tuffo al cuore fortissimo quando

comprese che quei tre ragazzini erano pronti ad affrontare per lui dei mostri più spaventosi di quanti sarebbe mai stata capace a creare la loro fantasia.

A colazione, con la scusa di una ricerca storica, fingendosi allegri e disinvolti si lessero velocemente la pagina Wikipedia dedicata alla battaglia di Vittorio Veneto e impararono parecchie cose. Le imparò anche Camillo, che se ne stava buono e invisibile dietro di loro. La fredda successione dei fatti non gli fece tornare in mente nulla di specifico, ma di tanto in tanto qualcosa c'era, dei lampi di ricordo che erano più che altro odori, frammenti di voci, volti sfocati.

Poche parole però riuscirono ad annodargli lo stomaco e fargli rifiutare ogni cosa da mangiare che di nascosto gli amici gli proponevano.

Poche parole.

Dieci giorni di combattimenti.

Settantamila morti e feriti.

E poco dopo c'era un altro numero, buttato lì e quasi incomprensibile nella sua apparenza gelida sullo schermo di un computer portatile.

Il totale delle perdite causate dal conflitto è stimabile in più di 37 milioni, contando più di 16 milioni di morti e più di 20 milioni di feriti e mutilati, sia militari che civili, cifra che fa della 'Grande Guerra' uno dei più sanguinosi conflitti della storia umana.

X servì da bere e da mangiare a tutti senza chiedere nulla. Era distratta, indossava un golf pesante, sembrava avesse freddo.

Frederic le chiese dove fosse suo padre, ma lei disse solo: «È uscito».

Poi si soffiò il naso, chiedendo scusa perché forse si

era raffreddata, maledizione a quelle tubature che ieri aveva dovuto riparare.

Frederic si sentì terribilmente in colpa perché non stava facendo nulla per suo padre. Anzi, qualcosa purtroppo lo aveva già fatto: gli aveva fatto passare la voglia di scrivere. Dunque meno faceva meglio era. O forse no, non ne aveva idea. Ma non era il momento dei dubbi, non era proprio il giorno dei dubbi. Fino a mezzanotte, almeno.

Una cosa per volta. Prima portiamo il fantasma a casa. Poi sistemiamo le cose qui. O almeno ci proviamo. Ogni cosa secondo la sua data di scadenza.

In una circostanza differente, X avrebbe capito in un istante che quei ragazzini stavano tramando qualcosa e non avevano nessuna intenzione di andare a scuola, ma quel mattino la sua testa era tutta per il marito, che dopo l'incontro con Crudelia aveva passato la notte in bianco e al mattino aveva litigato con lei per un motivo stupido e se n'era andato in giro da solo.

Frederic disse che dopo scuola sarebbero andati a fare i compiti a casa di Liz. Mentire così a sua madre gli sembrò bruttissimo, ma non ebbe il tempo di pentirsene.

Uscendo di casa, vide sulla porta un segno che il giorno prima non c'era.

Si bloccò e lo mostrò agli altri.

Tutti e tre capirono non c'era tempo da perdere.

33
QUELLO CHE FREDERIC VIDE SULLA PORTA

34
IL CLUB®

Per arrivare al Club di Leonardo c'era da attraversare mezza città: mentre erano sull'autobus era incominciato a nevicare e ora che camminavano per il parco tutto era ricoperto da una sottile patina bianca. L'ultima neve che Camillo aveva visto era la mostruosa neve nera che aveva accompagnato il primo incontro con le Ombre. Ora, coi suoi sensi speciali di fantasma, era incantato da uno spettacolo del quale coglieva l'immensa complessità.

Che meraviglia.

Eppure a mezzanotte sarebbe finito tutto.

Nel frattempo doveva risolvere gli enigmi sul suo passato (chi era?), sul suo presente (che cosa doveva fare per aprire il varco?) e sul suo futuro (che cosa avrebbe trovato al di là del varco?).

«Ogni fiocco di neve è un'opera d'arte unica» disse ai tre ragazzini. «Lo so che per voi è diverso che per me ma... quando non sarò più con voi ricordatevi sempre che vivete immersi nei miracoli».

Loro lo guardarono senza aver veramente capito che cosa intendesse, ma gli promisero che non avrebbero dimenticato le sue parole.

Poco oltre, in un edificio lussuoso, c'era il maestoso ingresso del club.

Frederic e compagnia si avvicinarono alla porta, ma non videro campanelli né nulla del genere. Da dentro arrivava lieve una sonata per viola e violoncello.

Prima ancora che si decidessero a bussare, la porta si aprì e comparve un portiere di età indefinibile, alto come un campanile, in livrea, cappello a cilindro e guanti bianchi.

«Buongiorno» disse impassibile.

«Buongiorno» rispose Camillo, porgendogli la mano. Il portiere la guardò come se gli avesse porto un utensile sconosciuto e non la strinse, rimanendo immobile incorniciato dalla porta, come un dipinto a grandezza naturale.

«Soci?» chiese.

«No».

«Invitati?»

Frederic gli porse semplicemente il biglietto da visita di Leonardo. Ora, al posto della scritta: *Vieni domani, Frederic*, c'era: *Sono amici miei.*

L'uomo lesse il biglietto per un tempo spropositato e poi lo fece girare lentamente fra le dita finché non svanì nel nulla.

«Vivi o morti?» chiese.

«Tutt'e due» rispose Camillo.

«Entrate. Vi stanno aspettando».

Si fermarono in una sala d'ingresso enorme. I soffitti erano affrescati, c'erano statue antiche, dipinti e arazzi.

Il portiere si mise sull'attenti, come se il suo compito fosse terminato e potesse spegnere tutte le attività del suo corpo.

Dopo un po' che non succedeva niente, Frederic gli chiese se c'era molto da attendere.

Lui, senza battere ciglio rispose che qualcuno era morto di vecchiaia, aspettando lì. Poi si concesse una lieve increspatura dei lineamenti che, molto probabilmente, per lui era la cosa più vicina possibile a una grassa risata.

Li venne a prendere un signore di mezza età vestito come un uomo d'affari. Aveva grandi baffi e piccoli occhiali, non disse nulla, era evidente che avrebbero dovuto seguirlo.

Camminando, non riuscì a evitare di guardare con grande curiosità Frederic, poi chiese scusa e spiegò che non aveva mai visto un bambino che avesse liberato da una casa un fantasma.

«A dire il vero preferirei essere chiamato ragazzino» fu il meglio che Frederic riuscì a rispondere.

L'uomo tacque per il resto della camminata finché non li lasciò in un ufficio che sarebbe stato perfetto per il primo ministro britannico e se ne andò.

Là, intento a fumare una pipa, c'era Leonardo, che li accolse con un sorriso. Era vestito come il giorno prima, ma con l'abito di un colore leggermente differente.

La prima cosa che disse fu: «Spero che abbiate apprezzato la neve».

I quattro dissero di sì, e lo ringraziarono come se l'avesse fatta lui la neve e gliel'avesse fatta scendere addosso come segno di benvenuto.

Poi abbracciò con affetto Frederic e si presentò a Liz e Ben. A lei fece i complimenti per gli occhi e le disse che raramente aveva visto una ragazzina vestita con tale assenza di buon gusto. A Ben disse che aveva la faccia simpatica e gli chiese che effetto facesse essere così basso e poi gli raccontò brevemente di Wolfgang Amadeus

Mozart, che pur essendo poco più alto di un metro e mezzo era riuscito a scrivere della musica divina.

A Camillo strinse la mano, e gli chiese come stesse.

«Meglio. In un certo senso» rispose Camillo.

«Ho sentito che c'è stato qualche intoppo con la Polizia, ieri sera. E che hai incontrato il mio amico Brian».

«Sì...»

«È un bravo ragazzo. Se solo cambiasse sarto. Ma permettetemi di offrirvi qualcosa, così vi mostro il nostro club. Ce ne sono solo tre, come questo, al mondo.».

Cominciarono a macinare corridoi su corridoi, uno più elegante dell'altro. Legno dappertutto, caminetti, poltrone, quadri antichi. Si respirava un'atmosfera di calma solenne. Incrociarono poche persone, tutte dirette senza fretta ma inesorabilmente da qualche parte.

Attraversarono una sala lettura, passarono per una sala ristorante dove alcuni camerieri e cameriere elegantissimi stavano apparecchiando per il pranzo mentre dalle cucine lì vicino arrivavano suoni ovattati di cotture e spignattamenti vari.

Attraverso una porta videro un'aula di tipo vecchia università dove una signora coi capelli grigi e gli occhiali spessi stava insegnando qualcosa a una classe attentissima.

«Questo è un corso interessante» spiegò Leonardo, divertito. «Qui insegniamo ai fantasmi a terrorizzare la gente nelle case, come potete vedere».

E in effetti videro la professoressa che, senza interrompere la spiegazione, si trasformò dapprima nel classico spettro con lenzuolo e catene e poi in una spaventosa creatura mezza scheletro e mezza ragnatela.

Leonardo spiegò che aveva avuto l'onore di essere uno dei soci fondatori del Club, attorno al 1820. Aggiunse che era un posto del tutto sicuro, costruito sulle fondamenta di un'antica cattedrale crollata ma mai sconsacrata.

Videro che fuori aveva smesso di nevicare. C'erano campi da tennis e numerose altre attrezzature sportive: per giocare a calcio, a basket, a bocce... c'era anche una piscina e una palestra.

«Di solito, ci si preoccupa di tenersi in forma di più da morti che da vivi, il che mi sembra piuttosto buffo, no?»

Passarono davanti a un dipartimento di psicologia, dove erano attivi vari gruppi di sostegno per fantasmi depressi, che pare fossero la maggioranza, dove si imparava ad accettare e convivere con la propria morte, non subendola come una disabilità ma come una potenzialità.

Videro un gruppo di lettura dove un'attrice dei tempi in bianco e nero stava leggendo ad alcune fantasme anziane un racconto dell'orrore: leggeva così bene che erano tutte paralizzate dalla paura.

C'era anche un ufficio di relazioni col pubblico, dove un produttore cinematografico (vivente) stava firmando un contratto con autori, agenti e avvocati fantasmi per comprare i diritti cinematografici di alcune loro storie.

A un certo punto Leonardo si fece serio e si fermò davanti a una porta piena di disegni di animali e fiori.

La aprì, e tutti videro una bellissima aula scolastica. Lì, un insegnante fantasma stava facendo lezione a una classe di bambini fantasma.

Leonardo guardò, sorrise all'insegnante, poi richiuse la porta. Sembrava commosso.

«Questo è difficile. Spesso arrivano qui dei bambini. I bambini... loro quanto vuoi che debbano stare qui sulla terra? Niente. Che cosa devono sistemare di sbagliato? Niente. Il varco si apre dopo un giorno e arrivano già tutti con una chiave d'oro in tasca. Ma un giorno è pur sempre un giorno da far passare, e allora abbiamo per loro giochi, svaghi e anche un po' di scuola».

«E che cosa insegnate loro?» gli chiese Liz.

«Cose divertenti, piccole attività, giochi. Ma più che altro vogliono sapere tutti quando rivedranno la mamma. Piangono, spesso. E noi... noi gli diciamo di stare tranquilli, che la rivedranno prestissimo».

«Ma è vero?»

Leonardo era commosso.

«Non lo sappiamo. Ma vogliamo credere che sia così».

Per il resto del giro stettero tutti quanti in silenzio.

Arrivarono infine in un'enorme biblioteca, che ospitava migliaia di volumi su scaffali di legno che andavano dal pavimento al soffitto, e trovarono posto attorno a un pesante tavolo di legno.

Gli vennero serviti tè, spremute, tanti pasticcini di tutti i tipi, latte fresco e frutta... Un vassoio con due toast e due cappuccini venne posato vicino a Camillo.

Leonardo gli si sedette di fronte, si fece dare il suo manuale, vide la data di scadenza (inarcò un sopracciglio alla vista di un arco di tempo così ridotto, ma non disse nulla), lo lasciò mangiare in pace e poi, dopo essersi sistemato con cura la giacca e la cravatta, guardandolo serio fisso negli occhi, disse: «Dimmi tutto quello che ricordi».

35
TUTTO IL TEMPO CHE È PASSATO

«Sono solo dei frammenti» disse Camillo. «La maggior parte delle cose non le saprei raccontare, ma qualche fatto, qualcosa di vero, credo, c'è. Ricordo la prima volta che ho visto il mare: ero bambino e ho pianto. Ricordo che ero un ragazzino quando tutti fecero una grande festa per le strade e quando chiesi perché mi dissero che si stava festeggiando l'inizio della guerra. Tutti dicevano che non sarebbe durata niente e che avremmo vinto».

«Poi?» incalzò Leonardo.

«Poi è confuso. Ricordo un grande albero di ciliegie. Ricordo che i miei amici e i miei parenti poco più grandi di me anno dopo anno partivano e non tornavano più».

«Hai avuto altre visioni?»

«Una».

«Racconta».

Camillo raccontò quello che i ragazzini già sapevano. Anzi, quello che i tre ragazzini avevano già *vissuto*. Poi aggiunse qualche immagine sparsa di lui in treno, in divisa, assieme ad altri ragazzi come lui, tutti in silenzio. E la visione del fronte di guerra, da lontano: un orribile mostro di fango e fumo che si nutriva di uomini.

Poco altro.

Arrivò una donna elegantissima dai capelli d'argento, indossava un abito blu scuro con bottoni dorati che le dava un'aria vagamente marinaresca. Leonardo la presentò come Anna, la sua segretaria.

«Segretaria, o sorella, o angelo custode, alle volte non ricordo bene».

Lei sorrise, disse a Leonardo di non fare il furbo e posò un computer portatile sul tavolo. «Data di morte» chiese.

«1 novembre 1918» disse Camillo.

La donna impostò la data sul computer, poi segnò la stessa data su un foglio, dove c'era il nome di Camillo e poche note: soldato, prima guerra mondiale, morto in battaglia, promessa non mantenuta. Premette un tasto del computer.

«Che roba è?» chiese Camillo.

«Quello che ti sei perso» rispose la donna.

E partì una specie di riassunto multimediale di quello che era successo nel mondo dal 1918 fino al presente, un accumulo ipnotico di immagini, voci, suoni e musica.

Mentre Leonardo si caricava con cura la pipa, gli altri guardarono rapiti lo schermo.

Come stelle cadenti scorsero immagini della seconda guerra mondiale, un discorso di Adolf Hitler, i morti di Auschwitz, l'esplosione di Hiroshima, e poi missili intercontinentali, il Muro di Berlino, Ernesto Che Guevara, Gandhi, l'omicidio di Kennedy, Martin Luther King, i Beatles, Elvis e Michael Jackson, la guerra del Vietnam, l'uomo sulla Luna, la fame in Africa, l'11 settembre 2001, Nelson Mandela, Bill Gates e Steve Jobs, nuove guerre in Iraq, Afghanistan, Barack Obama, il terrorismo in Europa, Mark Zuckerberg, le armi chimiche in Siria...

Quando finì erano tutti senza parole.

«Giusto per avere un'idea» puntualizzò Leonardo. «Anche se sono ben consapevole che certe cose sarebbe meglio non saperle».

La donna a quel punto estrasse da una tasca del vestito una piccola torcia elettrica. L'accese. Puntò la luce dritta negli occhi di Camillo, prima il sinistro, poi il destro. Poi gli guardò i denti e la lingua. Infine lo lasciò libero, mormorò un «Bravo» e scrisse alcune cose sul suo foglio. Chiese a Camillo ancora un po' di pazienza, gli misurò il polso, gli appoggiò uno strumento meccanico che nessuno aveva mai visto prima (molto simile però a un antico sestante) sul cuore, gli prese le mani e ne controllò con cura uno per uno tutti i polpastrelli. Segnò varie note, incomprensibili, e infine controllò la data di scadenza del manuale con una specie di lettore ottico a luce azzurra.Ringraziò tutti, salutò tutti, porse il foglio a Leonardo e uscì dalla stanza.

Leonardo rise, divertito dall'aria spersa di tutti quanti.

«Sono secoli che studiamo la biologia dei fantasmi, è una roba complicatissima che non ho tempo e onestamente non saprei neanche spiegarvi bene. In questo caso, tutti i parametri sono sbagliati, cosa che ci conferma il fatto che tu, ragazzo mio, in quella casa dovevi starci ancora un bel po'. Ma siamo in ballo e dunque balliamo. Anzi, andiamo: il tempo è prezioso».

«Dove?»

«È impossibile trovare il varco se non sai chi sei e perché ti trovi qui. E allora la prima cosa da fare è andare a vedere dove ti hanno messo».

«In che senso?»

«Sei morto, dunque sarai sepolto da qualche parte. Dobbiamo subito scoprire in che cimitero stai».

36
LA COMPAGNIA DELL'ANELLO, PIÙ O MENO

Fuori dal Club c'era una macchina nera con finestrini oscurati che li stava aspettando.

Un autista aprì loro la portiera e li fece salire, poi si accomodò al posto del passeggero. Alla guida si sedette Leonardo. Si allacciò la cintura di sicurezza, controllò che fossero tutti a bordo e partì.

«Guidare è uno dei molti piaceri ai quali non posso resistere» disse. «Però detesto cercare parcheggio. Per fortuna c'è il signor De Maria che mi dà una mano».

«Dove andiamo?» chiese Liz, ancora frastornata dalla visita al Club dei fantasmi.

«Credo che conosciate il Museo Egizio. È un ottimo museo, e meriterebbe una visita approfondita in circostanze meno avverse delle nostre. Però credo che non conosciate quello che c'è *sotto* il Museo Egizio».

Si interruppe solo per suonare il clacson alla macchina davanti, che stava partendo troppo lentamente all'accensione del semaforo verde.

«Posti del genere ce ne sono solo tre al mondo» continuò. «A Torino, a Praga e...»

«A Lione» aggiunse Frederic.

«Bravo» disse Leonardo. «Vedo che almeno tu i compiti li hai fatti. Ebbene, sotto il museo c'è l'anagrafe, diciamo così».

«L'anagrafe?» chiesero i ragazzini quasi in coro.

«Dei fantasmi. Ma non sarà una ricerca semplicissima. Giusto per darvi un'idea, dall'anno zero della nostra cosiddetta civiltà hanno vissuto circa cento miliardi di persone. Cento miliardi è un bel numero, no? Immaginate quando non c'erano i computer e dovevi fare le ricerche sfogliando delle schede. E come se non bastasse, ci sono stati recentemente dei tagli al personale e non è che lì abbiano mai brillato per precisione, ma ci proviamo».

L'autoradio intanto era accesa a basso volume su un canale di musica elettronica, cosa che sembrò piuttosto fuori luogo a tutti quanti. La città scivolava elegante, palazzo dopo palazzo, nelle loro pupille; tutto sembrava bello, e irreale.

Per qualche minuto, Camillo scordò di avere una data di scadenza. Gli tornò in mente un bacio che aveva dato, ma non riuscì né a vedere a chi né quando.

Liz si mise a fantasticare come sarebbe stato, per lei, essere un fantasma, e concluse che non aveva nessuna fretta di scoprirlo. Sperò solo che sarebbe successo dopo la sua metamorfosi in cigno, non avrebbe sopportato di dover cercare il suo varco per l'aldilà con l'apparecchio ai denti.

Ben moriva dalla voglia di parlare, di chiedere mille cose, si sentiva un fiume in piena... ma in quegli anni passati in silenzio aveva capito che aveva senso parlare solo se qualcuno aveva voglia di ascoltare e dunque non disse nulla.

Frederic invece non riusciva a togliersi dalla testa la

precarietà della loro situazione. C'era tempo fino a mezzanotte per fare qualcosa di importantissimo che però nessuno sapeva che cosa fosse. E le Ombre erano in agguato.

Come se lo avesse letto nel pensiero – e in effetti *lo aveva* letto nel pensiero – Leonardo volle spiegare due o tre cose che sapeva sulle Ombre e sul loro terribile capo.

«Sono convinti di essere evolutivamente superiori» disse. «Per loro, gli umani sono solo un miscuglio confuso di emozioni contraddittorie infilate malamente in un cervello strutturato un po' a casaccio. Poi ci siamo noi, i fantasmi: una versione lievemente migliore con la nostra capacità sensoriale ed emozionale più complessa, ma secondo loro è tutto uno spreco. Le emozioni, sostengono, se aumentate, producono solo caos e non purezza. Purezza che sarebbe appannaggio delle Ombre: vivono nella costante paura generata dalla loro fame, paura che loro idolatrano e che li fa andare avanti per l'eternità in caccia, come leoni nella savana. Sono farneticazioni di fanatici, ma ci credono, e sono molti più di noi. Hanno un capo, che non ha nome e che pare sia diventato un'Ombra decidendo volontariamente di non attraversare il suo varco per l'aldilà, anche se era riuscito ad aprirlo per tempo. Parla di razza superiore, e questa è la prova che l'uomo non impara proprio niente, neanche dopo morto. E ovviamente le Ombre sono sicure che la vinceranno loro, la guerra».

«Che guerra?» chiese Frederic.

«Adesso pensiamo a trovare la tomba giusta e fare tutto quello che dobbiamo fare» tagliò corto Leonardo. «Sono le dieci e mezza passate. Abbiamo a disposizione meno di dodici ore, il che non è quello che io definirei un gran lusso».

Fermò la macchina a bordo strada, scese e tutti lo imitarono.

Leonardo fece strada per qualche metro sotto i portici di via Po, poi entrarono nella grande piazza Castello, piena di turisti.

A Frederic la spiegazione di com'era la vita di un fantasma attraverso le lucciole e le stelle era piaciuta molto ma a dire il vero non ci aveva capito gran che. Ora gli sembrò il momento giusto per tornare sull'argomento: «Pensavo a quella cosa che hai fatto ieri nel parco, ma non riesco proprio a immaginare è com'è essere...»

«Ci pensavo anch'io» lo interruppe Camillo. «E davvero non riesco a ricordare né immaginare com'è davvero essere un ragazzino di undici anni».

Frederic rimase di sasso. Non glielo aveva mai chiesto nessuno, non avrebbe mai pensato che glielo chiedesse nessuno e in fin dei conti pensava che non sarebbe comunque interessato a nessuno.

«Vi guardo, voi tre, e mi sembrate un mistero. Un mistero molto speciale» disse il fantasma.

Frederic disse quello che aveva nel cuore: «Quando ero piccolo mi immaginavo che crescere sarebbe stato molto diverso. Ora è tutto più stancante e difficile, e la gente spesso ti può far stare davvero male. Le cose ti arrivano addosso tutte assieme, le belle e le brutte, e le senti, come dire, più forte, e hai anche tanti pensieri che ti imbarazzano... una volta le cose che mi facevano paura le evitavo, adesso mi fanno ancora paura ma le voglio vedere da vicino, non i ragni, per dire, ma le cose strane, quelle che non capisco, quelle che mi fanno stare male e bene allo stesso tempo».

Camillo tacque per un po'.

Frederic avrebbe voluto mandare indietro il tempo e non aver detto nulla.

Ma Camillo rise e gli diede una pacca sulla spalla.

«Non è poi così diverso per me» disse.

«Sì, però tu diventi invisibile quando vuoi, io quando mi prendono in giro rimango lì ed è orribile».

«Eh già. Tu però hai un futuro davanti a te, io no».

A proposito di futuro, Camillo gli chiese che cosa volesse fare da grande, di com'era l'America e tante altre cose, tutte importanti. Frederic era felice, non aveva mai veramente parlato così, con un adulto.

I bambini hanno le risposte giuste, sono gli adulti che fanno le domande sbagliate.

Dopo un po', Leonardo e Camillo presero i ragazzini per mano per mostrar loro i fantasmi: Frederic, Liz e Ben furono stupiti di quanto fossero numerosi. Uno di essi, una signora con un buffo cappellino, quando li vide si avvicinò a passi rapidi e con un'aria eccitatissima. Estrasse un telefono e si avvicinò a Camillo e Frederic, li prese sottobraccio e posizionò lo schermo in modo da farsi una foto assieme a loro.

«Che emozione» disse, «avevo sentito parlare di voi ma vedervi dal vivo, scusate l'espressione, ma vedere questo nuovo fantasma salvato da un bambino... un po' più a sinistra tu, per favore, ecco... è una cosa straordinaria, lo metto subito su Instagram... grazie mille e buona fortuna».

E se ne andò smanettando sul telefono tutta soddisfatta.

«Direi che siamo famosi» commentò Camillo. Ma di che cosa parlava quella donna? E perché teneva in mano quella specie di specchietto?

I ragazzini lo informarono rapidamente sui telefonini, e per fortuna gli altri fantasmi che li riconobbero li lasciarono tranquilli, se non per qualche occasionale 'in bocca al lupo'.

Arrivarono in un'altra piazza, piazza Carignano, che a Frederic sembrò bellissima, quasi fuori dal tempo.

«Oh no» disse Leonardo preoccupato. «Abbiamo un problema».

Tutti videro che c'erano delle persone che stavano piazzando dei blocchi alle vie di entrata e di uscita della piazza cercando di dare meno nell'occhio possibile. Sembravano delle normali attività di lavori in corso ma Leonardo vi aveva visto un qualche tipo di minaccia.

«Chi sono quelli?» chiese Frederic. «Sono Ombre?»

«No, le Ombre non possono assumere aspetto umano, e poi siamo in un luogo pubblico, siamo al sicuro da un loro attacco. No, la buona notizia è che quelli sono umani. E la cattiva è che ce l'hanno anche loro con noi».

Quei tipi stavano trafficando con degli strumenti che non avevano molto a che vedere con la manutenzione delle strade, e avevano l'aria troppo circospetta per sembrare degli onesti lavoratori. Uno di loro mostrò un cartellino a un paio di passanti e li fece andare oltre il piccolo perimetro che stavano tracciando.

«Stanno preparando una retata» disse Leonardo.

«Una retata?» chiese Ben preoccupato, che tutto sommato di retate se ne intendeva.

«Sono cacciatori di fantasmi» disse Leonardo. «Umani che catturano i fantasmi e poi li vendono a laboratori scientifici, a enti governativi segreti».

«Non ci posso credere» disse Camillo. «Ci mancavano pure questi».

«Per fortuna sono pochi, e non vengono presi sul serio. La maggior parte dei vivi li considera dei ciarlatani. Ma se ti catturano, è molto complicato fuggire».

I presunti operai avevano quasi finito di piazzare i loro strumenti per intrappolare i fantasmi (qualche anno fa venne anche fatta una serie di film al riguardo, ma nessuno si sognò mai di pensare che si potesse trattare di una storia vera) quando si resero conto che quel gruppetto aveva avvertito il pericolo. Si diedero da fare febbrilmente per attivare gli strumenti.

«Via, veloci più che potete, in quella libreria laggiù» disse Leonardo e diede una spintarella ai ragazzini per farli partire rapidamente.

La corsa iniziò con uno scatto degno di una gara olimpica, mentre i cacciatori di fantasmi fecero partire i loro dispositivi anche se non erano del tutto piazzati correttamente: si venne a creare una specie di rete di raggi luminosi, più o meno a un metro da terra, che correva da una parte all'altra della piazza. Chi vi si trovava all'interno non ne poteva uscire: sorte che capitò ad almeno sette fantasmi lenti di riflessi.

Data la geometria non perfetta alcuni raggi faticarono a trovare le linee giuste, rimbalzavano contro i muri e perdevano efficacia, ma i cacciatori velocemente miglioravano la mira dei loro dispositivi... ma i nostri cinque corridori riuscirono a buttarsi dentro la libreria ed evitare la cattura davvero per un pelo.

L'insegna diceva: LIBRERIA INTERNAZIONALE LUXEMBURG. BRITISH BOOKSHOP, e si trattava di una delle più antiche riserve di idee buone della città. Sopravvissuta perfino a un attentato negli anni ottanta del secolo scorso, quando venne incendiata da un lancio di una bomba per motivi che ora sarebbe lungo spiegare ma che avevano a che fare con l'antisemitismo e l'intolleranza, la libreria sembrava uno di quei luoghi più forti di tutto: ci sono ancora dei torinesi che ricordano il negozio pieno di fumo ma già aperto prima ancora che i vigili del fuoco avessero concluso il loro lavoro.

Non appena Camillo e gli altri si furono tuffati nel locale, uno dei librai corse alla porta di ingresso, espose il cartello CHIUSO e tirò giù la saracinesca.

«Leonardo» disse, «è sempre un piacere vederti qui».

I cacciatori di fantasmi cercarono di aprire, ma senza convinzione, e capirono che dovevano accontentarsi delle poche prede catturate.

Ben era spaventato e aveva iniziato a dire, questa volta davvero a dire, il suo alfabeto per scacciare la paura.

«A come Ancona, B come Bari, C come Como...»

«Certo che la vita del fantasma è un bel casino» disse Liz rialzandosi da terra.

Leonardo aveva il fiatone, si appoggiò a un muro.

«Non è mia abitudine entrare così in un negozio, chiedo scusa» disse.

«Come minimo, ci prenderanno per matti» disse Frederic.

«No» disse il libraio, che si chiamava Gigi, aveva una nuvola di riccioli castani e indossava un completo color senape con tanto di panciotto e cravatta a farfallino e non sembrava minimamente turbato dagli avvenimenti. «Matti, proprio no. Tranquilli, qui siete al sicuro».

Fu in quel momento che, grazie al contatto con Camillo e Leonardo, i ragazzini si resero conto che lì dentro, librai e avventori erano tutti fantasmi.

«Noi tre siamo gli unici vivi, qui dentro?» chiese Ben.

«Devo dire con rammarico che è molto raro ormai vedere gente viva in libreria» disse Gigi. «In questi tempi sembrano dedicarsi ad attività più innocue, come i videogiochi. Ma passerà, passa tutto, lo sappiamo bene noi che abbiamo il privilegio di seguire un tempo più lungo del vostro».

«Questo ragazzo» Leonardo indicò Camillo, «ha come data di scadenza mezzanotte».

«Allora non perdiamo tempo e seguitemi».

Li accompagnò in una seconda saletta e da lì su per una scala di legno che li portò infine a sbucare, attraverso una porticina protetta da mille chiavistelli, sul tetto del palazzo.

Il gruppetto guardò in basso: bastava una minima disattenzione e si volava di sotto. Gigi non se ne curò e partì di buon passo sul cornicione, come se fosse stato su un tranquillo sentiero di montagna.

«Da qui» disse, «si va dritti al Museo. Passeremo su un paio di tetti un po' ripidi ma non temete, se seguite i miei passi andrà tutto bene».

Lo seguirono con fiducia, e per tutti quanti fu un momento magico: una passeggiata sui tetti di Torino in compagnia di una guida sicura, mentre laggiù era pieno di pericoli, mise il gruppetto di ottimo umore.

Dopo una dozzina di minuti arrivarono davanti a una botola quasi invisibile. Gigi doveva aver avvertito del loro arrivo, perché subito venne aperta da un fantasma più o meno dell'età di Camillo.

Sulla soglia, Gigi augurò loro buona fortuna, e abbracciò Leonardo.

«Passo a trovarti al Club, un giorno di questi».

«Quando vuoi, vecchio mio. E grazie ancora».

Gigi tornò sui suoi passi e il gruppetto scese per le scale del Museo Egizio.

Liz si ricordò delle cose che aveva sentito mormorare dal piccolo Ben.

«Ma che cavolo dicevi prima» gli chiese, «quando elencavi i nomi delle città?»

«Quando ho paura dico questo alfabeto di parole della stessa famiglia, oggi mi è venuto città che è più facile, dico A, B, C eccetera e il trucco è che quando arrivo a H devo dire H come Accappatoio, o come Accalappiacani, e questo mi fa ridere un sacco e allora la paura se ne va».

«E funziona?»

«Mai. Me la faccio sempre sotto prima».

«Sono commossa da quanta stupidità riesca a contenere una persona così bassa, dico sul serio».

Frederic si rese conto che, disavventure incluse, stava vivendo giorni indimenticabili e gli fece un certo effetto pensare che era grazie a dei morti che si sentiva vivo come non mai.

Non sono più invisibile. Non sono più nel posto sbagliato al momento sbagliato. Forse non siamo i migliori come gli Avengers. Siamo un po' una versione sfigata della Compagnia dell'Anello. Ma no. Siamo solo due ragazzini di prima media piuttosto disadattati, una ragazza di terza, molto disadattata, un ragazzo fantasma ucciso in battaglia e un vecchio fantasma che se sono ben due secoli che è qui ci sarà pure un motivo. Siamo quello che siamo. E lo so, io, quello che siamo adesso. Adesso siamo amici.

37
IL MUSEO EGIZIO E I SUOI MISTERI

Entrarono nel museo come normali turisti.

Attraversarono alcune sale a passo spedito.

Mentre erano a metà di un'ampia sala con statue di faraoni, regine e divinità con la testa di animali che sembrava di essere in un film di Indiana Jones, alle loro spalle un sarcofago si aprì lentamente con uno scricchiolio sinistro.

Il rumore fece voltare i ragazzini, che rimasero paralizzati dal terrore: dal sarcofago emerse una mano mummificata, con le bende annerite che penzolavano e poi ne uscì una mummia, che si muoveva rigida con le braccia dritte davanti a sé. La bocca era semi spalancata e mostrava pochi denti scheggiati dal tempo, gli occhi erano quasi umani e li fissavano. I ragazzini stavano combattendo con l'istinto di darsela a gambe e la paura che li inchiodava a terra quando Leonardo, con aria a dir poco indispettita, andò dritto dalla mummia, senza alcuna paura.

«Smettila subito che siamo di fretta!»

La mummia abbassò il capo, mortificata.

«Scusa Leo» disse «è che qui è un po' una noia...»

«Va bene, dai, molla il sarcofago e vieni con noi, stiamo scendendo».

La mummia fece una specie di sorriso imbarazzato e si avvicinò ai ragazzini (che in effetti si resero conto che ora non faceva paura ma... ancora un po' paura faceva) e si presentò.

«Piacere, mi chiamo Khasekhemwi, ma qui mi chiamano tutti Carlo, per semplicità».

I tre ragazzini si presentarono e poi si avviarono dietro il bizzarro trio di adulti che li stava conducendo non si sa dove.

La mummia si girò verso di loro e chiese a bassa voce: «Ma... ditemi, vi avevo un po' spaventati, vero?»

«Eravamo terrorizzati come non mai, tranquillo» disse Liz che trovava simpatica quella mummia fantasma.

Arrivarono a un ascensore privato al quale si accedeva digitando un codice segreto. Leonardo digitò sei cifre, le porte si aprirono senza emettere alcun suono. Tutti entrarono, Leonardo digitò altre sei cifre, le porte si chiusero. Senza che fosse selezionato alcun piano, l'ascensore cominciò a muoversi.

Tutti in silenzio. Musica a basso volume. Elvis Presley.

Il viaggio durò abbastanza, con alcuni scarti di movimento come se, anziché andare verso il basso, la cabina si stesse muovendo in orizzontale, o in lieve salita.

Infine, si fermò. Leonardo digitò un terzo codice a sei cifre, che dovette ripetere perché se lo ricordava male (una scritta luminosa lo avvertì che dopo tre errori le porte dell'ascensore sarebbero rimaste chiuse per sempre, il che suscitò un lieve nervosismo generale).

Tutti e sei uscirono, non senza un certo sollievo, dalla cabina e si ritrovarono in una vasta sala d'attesa, molto simile a quello che poteva essere un ufficio postale inizio

Novecento. Sulle lunghissime panche di legno aspettavano numerosi fantasmi di tutti i tipi e di tutte le età.

C'erano degli sportelli numerati, una ventina circa, ma attualmente non c'era nessuno né da una parte né dall'altra del vetro.

Su un muro c'era una lavagna, dove erano riportati i numeri degli sportelli e dove un vecchietto stava scrivendo con un gessetto stridulo il numero del cliente che stava per essere servito dallo sportello numero dodici.

Camillo notò che accanto a un fantasma addormentato si era formata una ragnatela, non proprio recente.

«C'è da aspettare molto?» chiese.

«Teoricamente sì» rispose Leonardo un po' imbarazzato. «Ma noi del Club abbiamo un antipaticissimo diritto a saltare le code, grazie alla mia amica».

Con tempismo esemplare apparve una donna sulla trentina alta e affascinante, vestita di nero.

«Gloria, tesoro!» esclamò Leonardo abbracciandola. «Sei sempre bellissima, vecchia strega».

«Non sono vecchia, Leonardo. Tu, piuttosto, hai messo su pancia. Ti manterrebbe in forma venire ogni tanto a trovarmi».

Lui si toccò l'addome, serio.

«Hai ragione. Pensa che purtroppo sono dovuto addirittura andare a Londra a far ritoccare il guardaroba».

La donna guardò gli amici di Leonardo. «C'è un'emergenza?»

«Sì. Il mio amico qui, Camillo Montegioco, è uscito anzitempo dalla sua casa e la sua data di scadenza è oggi a mezzanotte. Ne avrai di certo già sentito parlare».

La donna annuì seria, guardò con grande interesse Camillo e Frederic e infine prese sottobraccio Camillo, sussurrandogli: «Andrà tutto bene». Poi partì verso una porta che si aprì automaticamente.

«Venite tutti con me» disse solo.

Tutti la seguirono, mummia compresa.

Percorsero una lunga scala a chiocciola e sbucarono nell'ufficio dell'anagrafe dei fantasmi.

«Cercheremo di fare più in fretta possibile» disse la donna. «Purtroppo però la settimana scorsa si è improvvisamente aperto il varco per il nostro capo archivista, era qui dal 1941. Certo, siamo tutti felici per lui, ma ci ha lasciati nel caos, ci vorrà qualche anno per riorganizzare tutto. Poi come se non bastasse, è appena affondato vicino a Lampedusa un barcone di povera gente e ci sono appena arrivate duecentododici persone che dobbiamo registrare, sono spaventati e hanno visto cose terribili, una tristezza che non vi dico».

Erano in una grande stanza, tutta bianca, pulitissima, pareti, pavimento e soffitto, screziata solamente da alcune emersioni della pietra viva in un paio di punti: un tempo quella doveva essere stata una caverna.

Gloria indicò ai ragazzini un paio di divani in stile settecentesco Luigi XVI, disse di aspettare lì senza scrivere sui muri e si allontanò con Leonardo e Camillo.

La mummia si sedette, un po' delusa per non essere stata coinvolta nella riunione e si mise a giocare con il telefonino, distratta.

I tre ragazzini si sedettero. Liz e Frederic sul divano davanti, mentre Ben si accomodò, a dire il vero non troppo entusiasta, accanto al reperto vivente di un'epoca che conosceva solo sui libri di scuola.

«Siamo in buone mani?» chiese, quasi tra sé, Frederic.

«Sono le uniche mani che abbiamo, speriamo che siano buone» disse seria Liz. «Ti guardano strano, alle volte, Freddie».

«Mi ha sempre guardato strano, la gente».

«Anche a me, ma qui ti guardano strano con interesse. Questa storia che hai tirato giù il muro dov'era prigioniero Camillo dev'essere una roba molto speciale».

«Non ho fatto niente di particolare. Ricordo solo che ero triste».

Cambiando improvvisamente argomento, la ragazzina prese Frederic del tutto in contropiede.

«Ma tu» gli chiese «che cosa pensi di me?»

«Io?»

«Tu. La verità».

«La verità è che… che sei strana».

«Strana come?»

«Strana. Non so».

«Strana brutta o strana bella?»

Frederic esitò, e lei non gli diede il tempo di rispondere.

«Lasciamo perdere. Ho capito. Ma non ho capito perché mi hai voluto con te in questa avventura».

A Frederic era parso del tutto naturale avere accanto gli amici in quella sua incursione in un mondo straordinario. Ma gli venne in mente che non era scontato né avere degli amici né averli affianco nei momenti difficili.

«Perché…» prese tempo Frederic, ma più prendeva tempo e più arrossiva. «Perché hai gli occhi di un colore impossibile, perché sembra che non te ne freghi mai niente di niente e alla fine perché quando ridi senza preoccuparti di avere quell'apparecchio enorme sembra che tutto quanto… tutto quanto si illumini».

Poi aggiunse: «E tu cosa pensi di me?»

Lei rise.

«Tu sei la persona più triste che abbia mai conosciuto, ma non prendi la tua tristezza troppo sul serio. E poi hai paura di tutto, il che alla fine dei conti ti porta a non avere paura di niente».

Frederic non era sicuro di aver capito.

Ben a quel punto si fece coraggio e chiese: «Non vi interessa sapere che cosa penso io di voi?»

Liz lo guardò serissima.

«No, piccolo Ben, facciamo finta che siano ancora i bei vecchi tempi quando eri muto».

Gloria, Camillo e Leonardo tornarono. Quest'ultimo sembrava molto soddisfatto.

Gloria andò dritta verso Frederic, fece cenno a Carlo e a Ben di cederle il posto e si sedette di fronte a lui. Gli prese le mani, con dolcezza.

«Troppo dolore in un cuore così piccolo» disse, quasi tra sé. «Troppa solitudine. Metti queste cose in una casa infestata e succedono cose incredibili. È normale che Camillo non ricordi quasi niente: non era pronto per uscire. Il problema è che le Ombre sono in agguato... La vedo complicata, Leo».

Improvvisamente sembrò colta da invincibile tristezza.

«Non si è mai sentito di un fantasma liberato da un umano, e tantomeno da un bambino. Che cos'hai di tanto speciale, piccolo Frederic?»

Il ragazzino avrebbe voluto rispondere quello che le aveva appena detto Liz, ma non ne ebbe il coraggio, e tacque.

La donna gli lasciò le mani, si alzò, e disse con tono grave: «Forse la leggenda è vera».

Silenzio.

«Forse la leggenda è vera» ripeté Leonardo.

«Forse si può ancora vincere la guerra» disse lei.

Leggenda? Guerra? Ma di che stanno parlando questi fantasmi? E che cosa c'entriamo noi?

Né Frederic né gli altri osarono chiedere nulla, e Gloria estrasse da chissà dove un foglio sul quale erano scritte molte cose e tracciate varie linee incomprensibili.

«Qui c'è l'indirizzo del cimitero e le indicazioni per trovare la tomba».

Prima di raggiungere la porta bianca aggiunse solo, girandosi lievemente verso di loro: «Abbi cura di loro, Leonardo. E di te».

38
OLTRE IL PONTE, FUORI DAL MONDO

Dopo poco più di un'ora di macchina arrivarono in un piccolo paese medievale.

Leonardo parcheggiò in una piazzetta quasi deserta e scesero tutti e cinque. Un po' era dispiaciuto ai ragazzini che Carlo la mummia non fosse rimasto con loro, era un tipo simpatico, e faceva un po' tenerezza nel suo aspetto mostruoso e fragile allo stesso tempo.

«Scusate se non vi abbraccio o se non vi stringo la mano» aveva detto salutandoli, «ma mi sbriciolo facilmente».

C'era un ponte di pietra sopra un torrente, a ridosso di una collina, e portava a un piccolo cimitero monumentale.

Durante il viaggio, Leonardo aveva spiegato di che tipo di guerra avesse fatto riferimento la sua amica Gloria.

«C'è una guerra in corso da secoli» disse con una certa gravità. «Una guerra tra noi fantasmi e le Ombre. Certo, non è una guerra come quella che potete immaginare o che tu, Camillo, purtroppo hai visto. Non ci sono eserciti, non ci sono battaglie. È una specie di lunga lotta su scala mondiale tra prede e predatori. Noi siamo più deboli, ma siamo un po' più svegli di loro. Secolo dopo secolo però si stanno facendo più scaltri. Il loro capo li sta organizzando bene. Non possono, non *devono* vincere. La posta in gioco è la più alta che esista: il giorno in cui le Ombre prenderanno il sopravvento su di noi diventeranno così forti che potranno attaccare direttamente i vivi. Il che, come potrete immaginare, porterebbe alla fine del mondo. I vivi non ne hanno la minima idea, di questa battaglia, però noi siamo lo scudo che li protegge».

La febbre di Camillo era salita e si sentiva stanco. Leonardo disse all'autista di aspettare lì con Liz e Ben mentre loro andavano alla ricerca della tomba.

Liz e Ben non erano contenti di lasciare Frederic, che mentre si allontanava mano nella mano con Camillo sembrava sempre più fragile e indifeso.

Attraversando il ponte Leonardo raccontò la leggenda che tutti i fantasmi conoscevano e che riguardava, forse, proprio Camillo e Frederic.

«L'abbiamo sempre considerata una specie di fiaba, senza crederci per davvero. Ma adesso c'è una nuova speranza. Si dice che se un giorno un fantasma sarà salvato da un umano vivo, un umano che proverà per il fantasma un amore vero e puro e se insieme riusciranno ad aprire il varco, in quel momento si apriranno infinite soglie e tutti i fantasmi che vorranno potranno andare dall'altra parte. E le Ombre, non avendo più prede a disposizione, si indeboliranno per secoli e secoli. Ma è solo una leggenda. Gli umani hanno terrore dei fantasmi o li odiano perché odiano l'idea di poter diventare come loro. Però da quando hai fatto crollare quel muro tutto è possibile».

Al cimitero si accedeva passando sotto un piccolo arco sostenuto da due colonne. Poi a destra e a sinistra iniziava una disposizione irregolare di lapidi, loculi e statue: angeli con la falce, uomini dall'aria severissima, persone in preghiera, donne in lacrime. Molte tombe erano abbandonate.

Non appena il trio entrò nel cimitero, il cielo si fece scurissimo.

Nessuno disse nulla e, seguendo le indicazioni di Gloria percorsero un piccolo labirinto di passaggi strettissimi. In giro videro un paio di vivi che si stavano affrettando verso l'uscita nel timore di un temporale e sei fantasmi, che li salutarono con curiosità.

Leonardo riuscì a orientarsi grazie a qualche lumino ancora acceso e a numerosi fuochi fatui che improvvisamente si accendevano qua e là.

Si persero un paio di volte, e dovettero tornare indietro per riuscire a seguire la piccola mappa.

E infine trovarono una tomba tenuta bene.

Con fiori secchi ma un lumino acceso, messo da poco.

Si avvicinarono piano. Ora che erano vicini alla meta, la fretta li aveva abbandonati.

«Nessuno ha mai fretta di vedere la propria tomba» disse con un mezzo sorriso Camillo.

C'era una lapide di pietra grezza, con un nome e due date.

Camillo Montegioco.

Nato nel 1899.

Morto nel 1918.

C'era anche una foto, in bianco e nero.

Camillo non sorrideva, nella foto. Era in divisa.

Frederic lo guardò, ed era pallido. Le sue guance erano terribilmente scavate, e sembrava più magro che mai, come se qualcosa se lo stesse mangiando da dentro.

«Non è una tomba singola» disse Leonardo con tutta la tenerezza possibile. «C'è una persona accanto a te, Camillo».

Infatti, accanto alla sua lapide ce n'era un'altra, ricoperta da una pianta spinosa rampicante.

Camillo si mise in ginocchio e con delicatezza, come se avesse potuto fare del male a qualcuno, iniziò a scostare la pianta, fusto dopo fusto. E portò alla luce una seconda fotografia più recente, a colori.

Era una vecchietta dall'aria malinconica, capelli d'argento e occhi azzurri. Indossava un cappottino nero e una catenina d'oro con una fede nuziale.

Margherita Nota sposata Montegioco.

Nata nel 1900.

Morta nel 1984.

«Margherita...» disse Camillo, e con una manica iniziò a pulire il vetro della foto, ma subito si bloccò: gli era arrivato addosso un dolore che lo piegò con violenza e gli fece sporcare di terra la fronte e gli zigomi. Leonardo e Frederic lo soccorsero, stava male, aveva delle convulsioni violente.

«Sta per vedere qualcosa» disse Leonardo.

39
LEI

Chiudo la porta di casa. Piano, per non far rumore, cerco di metterci più tempo che posso prima di essere del tutto fuori, da solo.

Indosso un'uniforme nuova, ruvida, e ho sulle spalle uno zaino militare, pesante.

La nostra casetta è piccola ma tenuta bene.

Passo dopo passo me la lascio alle spalle.

Lascia che i tuoi occhi salutino quello che vedono. I fiori, la luce, la pace.

Laggiù, in strada, ci sono altri ragazzi, altri soldati che mi stanno aspettando.

Dietro di me il rumore di una porta che si apre.

Girati, Camillo, girati per un'ultima volta.

Margherita.

Lei corre verso di me e io sono lì, fermo, sento le ginocchia che mi tremano e lei vola tra le mie braccia e non dice niente. I suoi occhi hanno pianto così tanto che sembra che abbiano perso tutto il colore.

Sembra che non pesi nulla, che tutto la possa spezzare.

Ma è lei, forte, che resta. Io, debole, che parto.

Mi tolgo l'anello nuziale dal dito. Glielo do.

Lei lo prende, lo stringe forte in mano, lo infila nella catenina al collo.

Mi bacia, sulla bocca, sulle guance, sulla fronte.

Fa un passo indietro, sa che non può fermare la mia partenza.

Poi si gira e torna in casa, è un batter d'occhi e non c'è più.

Raggiungo i miei compagni.

Non dicono nulla.

La loro faccia è quella senza sangue di chi sta partendo per sempre.

Stiamo partendo per sempre per la guerra.

40
OMBRE CHE CAMMINANO

La visione si dissolse: Camillo faceva fatica a respirare.

Quella donna che lo aveva salutato davanti a casa per l'ultima volta ora giaceva accanto a lui, sotto un cielo nero.

Non molto lontano, ora scendevano fulmini, molti fulmini, come una scarica di frecce lanciate dal cielo a incendiare il campo nemico.

«Mi ero dimenticato di lei» disse angosciato. «L'amavo».

Sembrava del tutto inerme ai colpi violenti che riceveva dal passato.

Si alzò, si tolse la terra dai vestiti e dal viso. Guardò Frederic con un'espressione amara.

«È questo che vuol dire, essere un fantasma: non ricordare più le persone che amavi».

«No, Camillo» disse Leonardo. «Quando si esce dalla casa ci si ricorda tutto, con una chiarezza superiore che in vita. Ma nel tuo caso sei uscito anzitempo».

«E qual è la mia colpa? Quello che ho fatto e che devo sistemare».

«Non lo ricordi ancora?»

«No. Non so neanche dove devo cercare».

Leonardo lo zittì con un gesto.

Si guardarono attorno.

Non c'era più nessun fantasma, in giro.

Ma un cerchio di Ombre si stava stringendo su di loro.

Istintivamente i tre si ritrovarono vicini, quasi schiena contro schiena, come un misero esercito accerchiato da una legione di nemici.

Leonardo trattenne Frederic che avrebbe voluto fuggire, e disse a bassa voce: «Qui siamo al sicuro. Ci sono ancora delle regole e una è che qui non hanno alcun potere su di noi».

«Non ancora» disse una voce lontana nel buio. Una voce che tutti e tre purtroppo conoscevano bene.

Da una zona buia si stava avvicinando a loro il capo delle Ombre, la creatura senza nome che col suo esercito stava cercando di far scivolare il mondo verso il nulla. La zona buia, quasi come fosse parte di quella creatura, lo seguiva.

Si avvicinò, l'Ombra, senza fretta; mano mano soffiava le candele e i lumini, spegnendoli uno per uno.

A un paio di metri da loro, si fermò.

Era difficile vederla chiaramente, ma gli occhi erano nitidi. E le zanne. E gli artigli.

Dietro la creatura, una scia nera e densa.

Anche tutte le Ombre lì attorno si avvicinarono, silenziose.

«Leonardo, che piacere rivederti» disse.

Leonardo non rispose.

Poi l'Ombra guardò a lungo e con curiosità sia Camillo che Frederic.

«Dovrei avere paura di voi».

Parlava senza distogliere gli occhi da Camillo, con una voce così bassa che fece vibrare i marmi.

«La paura».

Si guardò attorno, come se la paura fosse una sua vecchia amica e fosse lì assieme a loro.

«La paura, giovane fantasma. La puoi sentire. È l'unica cosa che rimane».

Rimase in silenzio e chiuse gli occhi, dai quali colavano lacrime nere.

«Non è male essere un fantasma, vero? Ci stai prendendo gusto? Ma dura poco. Dopo ti resterà solo la paura».

Si asciugò le lacrime col dorso della mano, un gesto plateale, da attore. Si allontanò di qualche passo, avvicinandosi a una parete di vecchi loculi.

«Comunque mettiti il cuore in pace, il cuore o quella roba che ti sembra batta nel tuo petto di cadavere. Dall'altra parte non c'è niente, è inutile cercare il varco. È per questo che ci siamo noi. Per salvarti, amico mio».

Camillo sembrava troppo debole per reagire. Riuscì a dire solo: «No, ho delle cose che devo ancora fare, qui, non posso...»

Il capo delle Ombre si mise a ridere, di gusto.

«Cose da fare? Qui? Questo non è più il tuo mondo, non hai niente da fare, non sei più un uomo. Sei un fantasma. E i fantasmi sono solo ombre che camminano».

Con un rapido gesto sbriciolò la lapide di un loculo, e portò alla luce una vecchia bara. Ruppe il legno senza fatica, vi rovistò dentro e ne estrasse un teschio. Lo guardò, lo baciò, sorrise, lo frantumò nella mano e ne lasciò cadere a terra i resti.

«Ombre che camminano, attori da quattro soldi che

si agitano e strepitano sul palcoscenico e poi svaniscono, dimenticati per sempre. La vita è una storia raccontata da un matto, piena di grida, urla e furori, e non ha nessun senso».

Tacque.

«William Shakespeare, se non ve ne siete accorti».

Era vicinissimo a Frederic, che aveva trovato rifugio tra le braccia di Camillo.

L'Ombra gli soffiò piano sul viso, un alito gelido che sapeva di morte.

«Spegniti adesso, spegniti, piccola candela».

Frederic distolse il viso, con disgusto.

«Ne hai vissuta poca, di vita, bambino» continuò l'Ombra. «Ma *quanta* ne hai dentro, vero? La senti? Nessuno capisce quanta vita ci sia dentro un bambino. Che incredibile tesoro sia. Voi pensate che i grandi lo sappiano, perché vi vogliono bene. Si prendono cura di voi. Ma veramente ci credete? La verità è che con una mano vi accarezzano, vi proteggono, vi aiutano a crescere, vi raccontano le fiabe della buonanotte – certo, tutto vero, grazie mille – mentre con l'altra mano costruiscono per voi il peggiore dei mondi possibili. Vi fanno sognare un paradiso e poi vi sbattono all'inferno. E vuoi sapere un'altra verità, bambino? Tu morirai. Guardami, sì, morirai e diventerai come me. E poi ti dico un'altra verità, ancora più precisa. Tu morirai oggi. Ti consiglio di prepararti. E lascia che il tuo amico vada dove deve andare».

Allungò una mano, come se prendere Camillo e andare via con lui fosse stata davvero la cosa più naturale e giusta da fare.

Camillo era ancora debole e forse era troppo stanco di

tutto. Fece un passo verso l'Ombra che voleva portarselo via.

Frederic ebbe il timore che lui, in quel gioco terribile che stavano giocando fantasmi e Ombre, non fosse che un semplice spettatore.

Ma decise che non era così.

E come un generale che raduna le sue truppe in vista della battaglia, Frederic mise insieme tutte le particelle di coraggio che gli si erano nascoste dappertutto: dentro la pancia, in fondo alle tasche, da qualche parte nel cuore, e quando riuscì a racimolarne abbastanza diede uno spintone più forte possibile al capo delle Ombre, che lanciò un fortissimo grido di dolore e a sua volta lo colpì con una violenza tale che parte della sua mano si sbriciolò, come se fosse stata fatta di carbone. Frederic sentì gli artigli sfioragli come fuoco il viso e poi colpirlo sul petto, lacerando la giacca a vento e graffiandolo profondamente, provò un male terribile, gridò, si sentì sul punto di svenire, ma tenendo per mano Camillo cominciò a correre, velocissimo, perché per la miseria quella era una cosa che sapeva fare bene, e allora corse via, via da quelle Ombre, sperando che esistesse un posto dove essere al sicuro dal potere di quelle creature da incubo.

E così, mentre con una smorfia orribile il capo delle Ombre contemplava con stupore la sua mano sbriciolata, Frederic, Camillo e Leonardo corsero verso il ponte, oltre il cimitero, oltre il torrente, verso gli amici che li stavano aspettando.

Dietro di loro, veloci e feroci, le Ombre guadagnavano terreno.

41
SENZA VIA DI SCAMPO

Liz e Ben si erano nascosti dietro un muretto, in preda al terrore. Quattro Ombre avevano preso d'assalto la macchina, e l'autista, poco prima di soccombere, era riuscito a farli scappare.

«A come Arancia, B come Banana...» diceva Ben meccanicamente, a occhi chiusi.

Il rumore di passi di corsa gli fece alzare il capo: videro i loro amici correre disperatamente lungo il ponte.

Cosa fare? La vecchia macchina era inutilizzabile: le Ombre la presidiavano. Lì vicino c'erano alcune macchine parcheggiate.

«Quella più vecchia, che è più facile!» gridò Ben e scattò verso una Fiat Punto. Si buttò a terra e tirò fuori di tasca una specie di portachiavi di metallo.

Liz lo raggiunse, controllando quello che succedeva sul ponte: dietro Frederic e Camillo c'era Leonardo, sembravano soli, in fuga dal nulla ma dopo qualche istante comparve un esercito di Ombre.

Ben aprì la portiera della macchina e si mise a trafficare con i cavi dell'accensione.

Liz alzando le braccia cercò di attirare l'attenzione dei

suoi amici senza urlare. Camillo la vide e, senza lasciare la mano di Frederic, si diresse verso di lei.

Ormai le Ombre erano quasi addosso a Leonardo. Lui vide che la sua macchina era inutilizzabile e che Liz e Ben stavano tentando di metterne in moto un'altra. Doveva guadagnare tempo. Si fermò a metà del ponte, e si voltò verso i suoi inseguitori che, presi alla sprovvista, si fermarono anche loro. Ebbero paura di Leonardo: avevano visto il loro capo ferito, non capivano che tipo di minaccia potesse costituire quel misero gruppo di bambini e fantasmi.

Camillo e Frederic raggiunsero la macchina, ci saltarono dentro, chiusero le portiere, e in quell'istante Ben riuscì, scatenando una pioggia di scintille, a mettere in moto il motore. «Aiutavo i miei a rubare le macchine, ai vecchi tempi» disse orgoglioso. «Ma non so guidare».

Liz si buttò sul sedile del guidatore, si allungò il più possibile per raggiungere i pedali e provò a ingranare una marcia.

«Non può essere molto diversa da un trattore» disse. «Speriamo».

Con un paio di sobbalzi riuscì a farla partire, fece una sgommata in retromarcia, rovinò il paraurti contro un muretto e si diresse verso il ponte.

Leonardo stava fronteggiando le Ombre. Si voltò verso di loro e disse: «Andate via».

Loro non partirono.

«Non possiamo lasciarlo qui!» disse Frederic.

«Andate via!» urlò Leonardo.

E si mise in ginocchio davanti alle Ombre, senza chinare il capo, sempre guardandole con aria di sfida.

Ci fu un lungo istante in cui nessuno si mosse.

Tra le Ombre si fece largo il loro capo. Arrivò davanti a Leonardo. Teneva la mano rotta dietro la schiena. «Molto nobile, il sacrificio» disse.

«La considero una sfida davanti a tutto il genere umano. E quello che perderà non sono io» disse Leonardo. E poi aggiunse: «I Queen, se non ve ne siete accorti».

Chinò il capo. Chiuse gli occhi. Le Ombre gli si avvicinarono, prima con timore, poi sempre più sicure, finché non gli furono tutte addosso.

Ci fu un lampo di luce e di lui non fu più possibile vedere nulla.

Liz, Ben, Frederic e Camillo erano paralizzati. Poi Liz annuì come per dire 'ora tocca a me' e gridò: «Tenetevi forte».

Schiacciò a fondo l'acceleratore, lasciando mezzi copertoni per terra.

Percorsero la stretta strada provinciale a una velocità folle, nessuno parlava né osava pensare a che cosa si erano lasciati alle spalle. Liz stringeva il volante con una forza tale che le nocche erano bianche, e il suo sguardo viola faceva paura.

Improvvisamente, da uno dei finestrini posteriori che era leggermente aperto entrò nella macchina il braccio artigliato di un'Ombra! Frederic e Camillo si buttarono dalla parte opposta: sul tetto c'era una delle creature che avevano assalito l'autista di Leonardo. L'Ombra era impegnata a tenersi aggrappata all'auto che andava a tutta velocità e cercava di colpire un po' a caso. Tutti gridavano, in preda al panico. Facendo molta attenzione, Frederic si mise ad armeggiare alla manovella del finestrino e riuscì ad alzarla un po'.

Nessuno sapeva che fare, ora che Leonardo non era più con loro.

Gli artigli dell'Ombra colpivano tutto quello che potevano: a breve avrebbero sradicato la portiera e a quel punto sarebbero stati guai.

«Che cosa faccio?!» chiese disperato Frederic.

Liz provò a zigzagare per far perdere la presa all'assalitore, ma non servì a nulla. La macchina sbatté un paio di volte lateralmente contro il guardrail e lei faticò non poco a tenerla in carreggiata.

«Guarda sul manuale se dice qualcosa!» provò a dire, disperato Ben. Camillo lo tirò fuori e iniziò a sfogliarlo febbrilmente, ma le voci del tipo 'Ombre, se vi attaccano' o 'Fuga, consigli pratici' erano confuse e piene di casi e sottocasi analizzati minuziosamente.

«C'era anche un numero da chiamare per i casi disperati!» si ricordò di colpo Frederic. Liz, senza esitare, tirò fuori di tasca il cellulare e lo lanciò dietro. Frederic lo prese al volo e chiese a Camillo di dettargli il numero.

Frederic digitò i dieci numeri del Servizio assistenza fantasmi in casi disperati e mise il vivavoce.

Silenzio.

Dopo tre squilli partì una voce registrata.

Per problemi relativi alla comparsa della data di scadenza, digitare uno. Per informazioni sui vostri poteri di trasformazione digitare due. Per informazioni sulla casa infestata più vicina digitare tre. Per aiuto in caso di blocco nello stato di incorporeità e in altri casi di impossibilità a digitare sulla tastiera dire 'incorporeità'...

Oh no, è solo un servizio automatizzato!

Frederic si mise a urlare nel microfono: «Siamo stati attaccati da un'Ombra diteci che cosa fare!»

Ma la voce proseguì imperterrita: *Per questioni inerenti alla presenza delle Ombre digitare cinque...*

«Digita cinque!» urlarono tutti in coro.

Frederic digitò cinque.

In caso di avvistamento di Ombre digitare uno. In caso di incontro con Ombre in zone sicure digitare due. In caso di...

«Non c'è modo di parlare con nessuno?!» disse frustrato Frederic, mente la voce continuava a elencare casi su casi, fino a che, finalmente: *Se desiderate parlare con un operatore, restate in linea.*

Restarono in linea. Musica. E infine tornò la voce automatica: *Siamo spiacenti, ma tutti i nostri operatori sono occupati al momento, vi invitiamo a richiamare...*

Fu allora che l'Ombra con un pugno violentissimo riuscì a distruggere il vetro. Quindi infilò nell'abitacolo un braccio e il suo orrendo viso, le fauci spalancate e grondanti bava nera e artigliò la caviglia di Camillo, che lanciò un urlo di dolore terribile e riuscì a divincolarsi.

Liz vide tutto con la coda dell'occhio e, senza tradire nella voce la minima emozione, disse ai suoi amici: «Se qualcuno conosce qualche preghiera, la dica adesso. Io non ne so». E accelerò, buttandosi sulla sinistra e andò dritta come un kamikaze contro un grosso camion a rimorchio che arrivava in direzione contraria. Un istante prima dell'impatto, mentre il conducente del camion strombazzava a più non posso, lei sterzò e si fece una colossale strisciata contro la fiancata del camion, scintille dappertutto e rumore di lamiera spaccata e riuscì a sbriciolare l'Ombra... tranne che per il braccio, che ricadde in macchina colando liquame scuro e che continuò ad agitarsi cercando di artigliare qualcosa a caso. Piano piano però perse energia, e a quel punto, superando lo schifo, Frederic lo prese e lo buttò fuori dal finestrino. Al contatto con l'asfalto, il braccio andò in mille pezzi.

Liz guidò ancora un po' come un automa, poi rallentò e accostò a bordo strada. La parte sinistra della macchina era mezza distrutta, erano esplosi i fari anteriori e dal motore usciva un po' di fumo.

«Io a questo punto chiamerei un taxi, se siete d'accordo» disse, chiudendo le mani tremanti sul viso.

Finalmente respirarono.

Frederic si accorse di avere molto male dov'era stato colpito dal capo delle Ombre. La giacca era squarciata e sentiva la ferita al petto pulsare dolorosamente.

Camillo vide che la caviglia stretta dall'Ombra stava diventando scura e sentiva la febbre che aumentava come se non ci fosse stato limite al fuoco che si poteva avere dentro di sé.

Nessuno scese dalla macchina.

Come uno stormo di rondini che improvvisamente cambia direzione e vola compatto lontano, tutti i loro pensieri si allinearono nel ricordo di Leonardo e del suo sacrificio per salvarli.

«Mancano cinque ore a mezzanotte» disse Liz. «Ma dov'è il varco per passare dall'altra parte e cosa cavolo bisogna fare per aprirlo?»

Lo sconforto del non sapere più che cosa fare.

La tristezza per la perdita di un amico.

Il dolore per le ferite subìte.

La stanchezza di una giornata senza fiato.

L'angoscia per il tempo a disposizione che stava finendo.

Il terrore di una minaccia costante, invincibile.

Troppo tutto.

Il piccolo Ben comunicò al resto del gruppo che aveva vomitato.

42
RITORNO AL CLUB®

Arrivati davanti al Club, il portiere rimase a lungo a guardare alle loro spalle senza guardare veramente da nessuna parte, come quando si aspetta qualcuno che si sa già che non arriverà.

Poi li fece entrare, e senza dire nulla si allontanò, lasciandoli lì nell'ingresso. Camillo stava sempre peggio. Chiese dell'acqua, stavano per andare a cercarla quando arrivò il signore di mezza età con baffi e occhiali che li aveva accolti quel mattino. Aveva gli occhi rossi, forse aveva pianto. Li accompagnò dritti in biblioteca, dove li stava aspettando la donna con i capelli d'argento.

Anche lei era molto turbata.

Si sedettero tutti, in silenzio.

Nel frattempo, a casa di Frederic, Alessandro e X erano veramente preoccupati. Avevano scoperto che né loro figlio né i loro amici erano andati a scuola e che nessuno li aveva visti. I genitori di Liz e i nonni di Ben erano agitati come loro. Contattarono la Polizia, gli ospedali, fecero tutto quello che si poteva fare. Perlustrarono la villa da cima a fondo, e il parco e i dintorni, chiesero ai passanti e mostrarono la foto del bambino e piansero e si arrabbiarono e camminarono a lungo a vuoto e alla fine si sedettero in cucina, con lo sguardo vuoto e con una roba lì dentro, nel cuore, che se li stava mangiando.

C'erano un paio di poliziotti, con loro, stavano al telefono e stavano mandando foto di Frederic in giro con i loro computer portatili.

Che cosa si poteva fare, ancora? Alessandro si rimise la giacca, prese una torcia elettrica e ricominciò a cercare. Ogni volta che chiamava il nome di suo figlio, una lama sottile gli si conficcava nella gola, ma lui non ci fece mai caso, e avrebbe chiamato e chiamato finché non lo avesse stretto tra le sue braccia. Giurò a se stesso che non lo avrebbe mai sgridato, e giurò tantissime altre cose che avrebbe fatto o che non avrebbe mai più fatto, alcune sensate e altre meno, se il destino gli avesse restituito suo figlio sano e salvo.

Al Club, la donna disinfettò le ferite di Frederic e controllò la caviglia di Camillo, che era sempre più scura. Per quella disse che non c'era niente da fare: fino a mezzanotte non gli avrebbe dato grossi problemi. Gli diede un bicchiere d'acqua, ma Camillo non riuscì a bere.

«Eravamo preparati» disse l'uomo coi baffi.

«Anche Leonardo lo era. Bisogna essere sempre preparati in questo tempo di guerra» disse la donna.

«È molto strano non sentire più la sua presenza, i suoi pensieri» aggiunse l'uomo, portandosi un fazzoletto agli occhi.

«Eravate molto amici?» chiese Frederic.

«Amici?» sorrise. «No. Litigavamo di continuo».

Poi però aggiunse, con un filo di voce: «Eravamo come una persona sola».

«Piangeremo chi non c'è più quando avremo tempo» intervenne la donna. «Sono le otto, mancano quattro ore per te, ragazzo, e dobbiamo capire che cosa devi fare, se no saranno guai».

«Abbiamo anche delle notizie» continuò l'uomo. «Brutte notizie. Pare che le Ombre abbiano sferrato un attacco violento. Da tutto il mondo ci arrivano notizie di un aumento vertiginoso degli agguati, migliaia e migliaia di fantasmi sono già caduti. E la situazione sta peggiorando di ora in ora».

Camillo li guardò con aria spersa, si asciugò il sudore e disse: «Non so che cosa devo fare. Ma sto mettendo insieme i pezzi del mio passato. Ho visto la mia tomba, ho visto quella di mia moglie. Si chiamava Margherita».

Camillo fece un movimento inconsulto, come colpito da una scossa elettrica. Soffriva, ma era chiaro che era felice che tutto quello che aveva dimenticato gli stesse tornando violentemente addosso.

Cercò con gli occhi Frederic, Liz e Ben.

«Statemi vicino, ho bisogno di voi». Erano parole difficili da dire, ma dolcissime. «Senza la vostra forza, non ce la posso fare».

Ben gli prese una mano e la strinse tra le sue, erano piccole mani, mani da bimbo, ma accolsero come un nido la mano tremante del fantasma.

Frederic lo abbracciò da dietro le spalle, e provò la sensazione di abbracciare, sotto quei vestiti, soltanto uno scheletro ed ebbe paura di fargli male.

Liz gli si mise in braccio, senza pensarci, e gli appoggiò il viso sul petto, sentì il battito del suo cuore, lento, sempre più debole: erano i passi di qualcuno che, in punta di piedi, esce per sempre dalla vita.

Camillo vide il suo passato che, come un ghiacciaio che con un rombo si stacca dalla montagna e precipita travolgendo tutto quello che trova sulla sua strada, gli arrivava contro.

43
CASA

Appoggio il mio bagaglio sul letto, tolgo tutto e risistemo tutto per la terza volta, da capo. Ogni cosa deve essere al suo posto, come ci hanno urlato al corso di addestramento.

Due paia di giberne, in ogni giberna quattro caricatori, in ogni caricatore quattro cartucce.

Una baionetta, nel suo fodero metallico.

Un tascapane di tela impermeabilizzata, dentro il tascapane un fazzoletto, una tazza di metallo, una gavetta, una borraccia, un cucchiaio e una forchetta.

Uno zaino di tela e cuoio, due paia di mutande di lana, due camicie di tela, pezze da piede, il corredo di pulizia per gli scarponi, il necessario per la pulizia del fucile, la borsa di pulizia personale e un sacchetto di sale. Nelle tasche laterali 12 caricatori di cartucce e una scatola di carne.

Un elmetto con lastra antiproiettile.

Una maschera antigas.

Quando tutto quanto sarà a posto dovrò partire.

Aggiungo due matite, un temperino di metallo, qualche foglio e qualche busta. Chiudo tutto, stringo le cinghie, chiudo le tasche, carico tutto sulle spalle.

Scendo.

Margherita è lì, in silenzio. Vicino alla finestra. Il sole illumina tutto, fa quasi male agli occhi. Voglio riempirmeli, gli occhi, di quella luce e di lei, per sempre.

Vado da lei.

Posso farcela, non è difficile, non troppo: attraverso la stanza, vado da lei, le dico che va tutto bene, che andrà tutto bene, esco.

Ma lei non è sola.

Qualcosa di enorme mi esplode nel petto.

Accanto a lei c'è una culla.

Nella culla, un neonato. Si è appena svegliato.

Cesarino ha fame, dice lei. Ma prima salutalo.

Lo prendo in braccio, non pesa niente, faccio molta attenzione, ho paura che la mia divisa sia troppo ruvida per quella pelle così nuova.

Non piange.

Non piange nessuno, oggi. Non deve piangere nessuno.

Il piccolo mi stringe un dito, vorrei dire qualcosa ma le parole restano in fondo alla gola, nascoste dietro il cuore.

Impossibile essere tristi, oggi, con questo bambino in braccio.

Lo bacio, lo rimetto nella culla, ma lui nella culla non ci vuole più stare e allora trova le braccia della mamma e il petto e la sua voce.

Addio, Margherita.

E tutta la sua vita breve tornò da Camillo, dai ricordi più lontani a quelli più piccoli: tutto quello che era rimasto bloccato da qualche parte quel giorno in cui il dolore di un bambino aveva fatto cadere prima del tempo il muro che separa la vita dei morti dalla vita dei vivi.

Tutto tornò e si mise in ordine davanti agli occhi di

quel ragazzo come bisogna fare con gli oggetti che devi mettere nel tuo zaino il giorno in cui parti per la guerra.

Tutto tornò. Anche alcune parole scritte a matita prima di una battaglia, le ultime parole di una lettera sporca e spiegazzata.

Bambino mio, figlio mio, amore mio. Io te lo giuro sulla mia vita, e tu lo devi credere, davvero, perché te lo dice il tuo papà. Non essere triste perché io tornerò. Te lo prometto, tornerò da te. Vittorio Veneto, 1 novembre 1918.

44
TE LO PROMETTO

Camillo tornò al presente con lungo grido di dolore, come se lasciare il passato fosse stata una sofferenza fisica. Ora gli era chiaro finalmente tutto: chi era, che vita aveva vissuto, chi aveva lasciato indietro.

Una moglie, un figlio.

Ma al cimitero c'era solo lei.

«Non vuol dire molto» disse Liz. «Ma c'è una possibilità, remotissima, che sia ancora vivo».

«Si chiama Cesare» ricordò Ben «o si chiamava, non lo sappiamo».

«Cesare Montegioco, nato nel 1918. Figlio di Camillo e Margherita. Possiamo fare delle ricerche» disse Frederic.

«*Dobbiamo* fare delle ricerche» lo corresse Liz. «Perché se non ho capito male come funziona la faccenda dei fantasmi e delle cose da sistemare e il varco da aprire, mi sa che il problema qui è che Camillo non ha mantenuto la promessa che sarebbe tornato».

«I miei, di promesse ne mantengono molte meno della metà» disse Frederic. «Che cos'aveva questa di così speciale?»

Liz lo guardò come avrebbe guardato uno stupido criceto che correva senza sosta nella sua stupida ruota credendo che l'avrebbe portato da qualche parte.

«Tu non meriti la mia amicizia, giovane Skywalker. Ma possibile che non ti sia tutto chiaro?»

Frederic scosse la testa.

Liz guardò Ben. Anche lui scosse la testa.

Sconsolata, Liz prese fiato, si allontanò di qualche passo e iniziò la sua spiegazione.

«Va be'. Premessa: se ridete me ne vado. Per sempre».

Tutti tacquero.

«Ok. Nel momento in cui nasciamo che cosa ci promettono i nostri genitori? Amore, protezione, un futuro, la felicità, una vita bella, tutto quanto. E noi veniamo al mondo, ci fidiamo e ci aspettiamo che questa promessa verrà mantenuta. Poi non succede, *spessissimo* non succede, e per noi è una tragedia, una vergogna, addirittura pensiamo di non meritarci quello che ci hanno promesso, e va tutto a scatafascio. Non ci vuole molta fantasia, basta vedere come siamo ridotti noi tre».

Ancora silenzio.

Liz si rivolse direttamente a Camillo.

«Camillo, tu hai fatto la solenne promessa a tuo figlio appena nato che saresti tornato. E questa promessa non l'hai mantenuta. Quel bambino è vissuto con la buona notizia che la prima promessa che mai gli abbia fatto un adulto era una promessa *non mantenuta*. Ora è chiaro a tutti?»

Era chiaro a tutti.

Era anche chiaro a tutti che quella ragazzina sapeva benissimo come ottenere l'attenzione degli altri: il classico tipo che nella vita o combina grandi cose o si ficca in ancora più grandi guai.

Camillo si mise in piedi a fatica, le andò vicino e le fece una carezza sulla guancia.

«Oggi avrebbe cent'anni, come possiamo sperare che sia ancora vivo?» le disse.

«Lo possiamo sperare, sì» disse con aria stupita la donna coi capelli argento alzando lo sguardo da un computer portatile. «Secondo i nostri archivi non risulta che sia mai morto».

Tutti le andarono accanto.

«Però dai dati che abbiamo non è possibile capire se è vivo e se sì dove abiti. Mi spiace».

«Anche a noi spiace» disse Liz, «ma mica molliamo così, noi. Fatemi chiedere una cosa in segreteria. Ce l'avete una segreteria in questa gabbia di matti, no?»

Le spiegarono dove fosse e lei uscì, senza dire altro.

Mentre aspettavano, Frederic si rese improvvisamente conto che erano in compagnia di due perfetti sconosciuti – non avevano nemmeno idea di come si chiamassero – e che, solo per il fatto che erano adulti, gli si erano affidati per risolvere i loro problemi. Evidentemente non era così che funzionava il mondo. Si ripromise di pensarci su poi con calma e di metterla da parte come una lezione importante per la sua vita futura.

Liz tornò con due grossi volumi bianchi. Li sbatté sul tavolo e guardò tutti con aria soddisfatta.

«Che roba è?» chiese Frederic.

«La guida telefonica» rispose lei.

Dato che l'espressione dei suoi amici non cambiava, lei capì. «Non avete idea di che cosa sia una guida telefonica. Scusate se mi viene da farvi un discorso da vecchia ma: sveglia! Lo sapete che una volta c'erano i telefoni fissi in casa? Ebbene, qualcuno ebbe la geniale idea di fare un libro con i nomi e gli indirizzi di chi aveva un telefono».

«E chi non aveva un telefono?» chiese Frederic.

«Questo non ci riguarda. Guardate».

Aprì il secondo volume della guida telefonica. Cognomi dalla M alla Z.

Scorse velocemente fino a pagina 47 e indicò trionfante con il dito un nome.

«Cesare Montegioco. La guida è del 2014, ma ci sono un numero e un indirizzo. Il numero l'ho già chiamato dalla segreteria e dicono che non è più attivo, il che non è un buon segno ma può non significare nulla. Ma ora viene il bello: guardate l'indirizzo».

Guardarono l'indirizzo.

Via Ada Gobetti 47A.

«Voi sapete dove cavolo è?» chiese Liz.

«Io lo so!» disse Frederic. «È la traversa che sta dietro il parco di casa mia».

«Dunque il numero 47A è quello della casetta che si vede dalla vostra catapecchia. Non ci sono altre case, lì accanto» disse lei, esultante.

«E quindi Cesare Montegioco non solo è ancora vivo, ma è il vecchio del gufo!» disse Ben.

«Il vecchio del gufo è tuo figlio, Camillo» disse Liz, questa volta davvero emozionata.

Camillo si alzò e l'abbracciò a lungo, senza dire nulla.

«Puoi ancora mantenere la tua promessa, Camillo» disse Frederic.

«Molto bene» disse Liz. «Abbiamo poco meno di tre ore per aiutarti a ritrovare tuo figlio, mantenere la promessa data e sperare che in qualche modo così si apra il varco».

«Le Ombre saranno in agguato» disse Ben.

«Grazie per il tuo ottimismo, piccolo Ben. A questo punto o la va o la spacca» disse Liz, ancora un po' scombussolata dall'abbraccio del fantasma: aveva sentito un caldo incredibile che le aveva fatto sudare il viso e subito dopo un freddo polare.

«Prepariamoci e andiamo» disse Frederic. E mentre si metteva la giacca, guardò i due fantasmi del Club.

«Voi non credete che possa andare tutto a finire bene, vero?» chiese, non poco stupito di quanto fosse stato diretto.

Loro tacquero per un po', poi l'uomo si alzò, cercò con pazienza le parole giuste da dire, non le trovò, disse quelle che trovava.

«Onestamente no. C'è troppo poco tempo e a quanto pare le Ombre sanno esattamente quello che fate, non vi daranno tregua. E poi noi fantasmi non crediamo che voi umani alla fine, come dice la leggenda, farete qualcosa di importante per noi. Non lo avete mai fatto. Siamo diversi, troppo diversi. E la diversità non vi è mai piaciuta».

Frederic annuì serio. Sembrava un adulto.

«Va bene» disse solo.

«State pure comodi, sappiamo dov'è l'uscita» disse Liz.

E così Frederic, Liz, Camillo e il piccolo Ben attraversarono i lunghi corridoi del club per andare verso quello che si stava annunciando come un vero e proprio scontro finale.

«Abbiamo bisogno di alleati» disse Frederic.

«Idee?» chiese Liz.

«I nostri compagni. Tommygun e i suoi».

«Sarebbero quelli che abbiamo spaventato nel vicolo?» chiese Camillo, che camminava lentamente come se ogni singolo passo fosse per lui un dolore eccessivo.

«Quelli» gli rispose Frederic.

«Sei scemo?» chiese Liz.

«Forse sì. Ma da soli siamo vulnerabili, le Ombre ci possono attaccare. Se siamo in tanti no. E loro mi sembrano tutto sommato in gamba».

«Ti menavano e ti sembrano in gamba?»

«Se c'è qualcuno abituato alla battaglia sono loro. Mettiamo ai voti, come hanno sempre fatto i pirati».

Passo dopo passo, tutti in silenzio.

Poi Liz alzò la mano.

Poi Ben alzò la mano.

E infine Camillo alzò la mano.

«Molto bene» disse Frederic, pieno di energia. «Ora tutti voi andate a casa, dite ai miei che sono ancora vivo, tu Camillo prova a riposarti, io vado al centro commerciale che è a dieci minuti da casa, li convinco e torno e andiamo assieme dal vecchio del gufo».

Il portiere gli aprì la porta.

Prima di richiuderla, si avvicinò a ognuno di loro e strinse loro la mano.

«Buona fortuna».

Non disse altro, e li guardò andare via finché non li vide uscire dal parco.

Fu a quel punto che, mentre chiudeva il portone per la notte, aggiunse: «Non è vero che siamo diversi, bambini. Non è vero».

I nostri quattro arrivarono a una fermata dell'autobus.

«Voi prendete il 34 e con tre fermate siete a casa. Io prendo il 2 e ci vediamo tra un'ora. Se tra un'ora non torno, andate voi alla casa del vecchio» spiegò Frederic.

Liz fece il gesto di porgergli il suo telefonino, ma era scarico. Lo rimise in tasca, con un sorriso stanco.

«Me la caverò lo stesso. La fortuna aiuta gli audaci» disse Frederic.

«La verità è che la fortuna aiuta i fortunati» disse lei.

«Sfigati non vuol dire necessariamente sfortunati» disse Ben.

«Anche questo è vero» disse Liz. «A dopo, Freddie».

Arrivarono uno dopo l'altro i loro autobus.

Frederic trovò un posto libero. Com'era strana la città, quella sera. Era strana come sono sempre strane le cose quando stai partendo per un viaggio e sai che quando tornerai, se tornerai, sarà tutto diverso.

I negozi chiusi.

Qualche locale, con le luci colorate accese e la musica ad alto volume.

La gente, per strada.

45
TOMMYGUN

Il centro commerciale era enorme e ospitava un cinema multisala, un paio di fast food, una palestra, un grande magazzino di articoli sportivi e una serie infinita di negozi.

C'era molta gente in giro.

Frederic si diresse verso i tavolini del fast food che stavano accanto a un percorso per skaters ora deserto.

Era un punto piuttosto defilato, vicino a dove distribuivano il cibo a quelli che volevano ordinare senza scendere dalla macchina.

Un paio di altoparlanti diffondevano musica techno, ma erano stati presi a sassate troppe volte dai vandali e ora riuscivano a emettere solo i bassi, con un curioso effetto ipnotico.

Per fortuna erano tutti lì. Frederic li vide da lontano.

Tommygun stava seduto a gambe incrociate su un tavolino e stava leggendo un libro. Roberto Ammazzasette, Scheggia e BluBoy, forse per ingannare il freddo, stavano provando alcuni passi di danza molto complessi mentre Veronica gli batteva il tempo con le mani. Mancava Caterina Ho, che però uscì in quel momento dal locale con un vassoio stracolmo di roba malsana da mangiare. Lei lo vide andare verso il loro territorio, lo guardò con aria incredula e gli si piazzò davanti, con un sorriso smagliante.

«Che ci fai qui da solo, piccolo hobbit?»

«Devo parlare con Tommy» rispose Frederic, ma la Y finale gli uscì un po' più lunga del normale perché nel frattempo lei, con destrezza fulminea, aveva tolto una mano da sotto il vassoio e gli aveva dato una sberla.

Neanche una patatina cadde per terra durante il movimento della ragazza che, come se nulla fosse, chiese: «E che cosa devi dire a Tommy di tanto importante?»

«Lo dico a lui».

E una seconda sberla arrivò, anche questa volta senza che lui avesse il tempo di scansarsi, o almeno di prepararsi. Ma, per quanto la guancia bruciasse, rimase il più possibile tranquillo.

«Ho detto che glielo dico a lui» ripeté.

Un'ultima sberla e poi lei, con un sorriso angelico, disse: «Andiamo».

Quando fu davanti a Tommy lui ricevette ancora una sberla sulla nuca che lo fece quasi cadere in avanti, il che, lui pensò, sarebbe stato un ingresso in scena davvero penoso. Ma non cadde, riguadagnò l'equilibrio e guardò gli altri, a testa alta.

Tommy lesse ancora qualche riga, poi mise un vecchio biglietto del cinema come segnalibro, chiuse il volume e alzò lo sguardo.

«Sei venuto a chiedere scusa per avermi messo ieri in quella situazione molto imbarazzante?»

«No».

(Sberla.)

«È che voglio proporvi una tregua».

(Sberla.)

«Sono venuto fin qui perché ho bisogno del vostro aiuto».

(Sberla.)

Frederic sentì la necessità di riprendere fiato e di tamponarsi il labbro, che si era tagliato. Un occhio gli lacrimava, ma sperò che si capisse che erano lacrime di dolore, mica di paura. E infine disse: «Il fatto è che se mi massacrate non saprete mai in che guaio enorme sono capitato, e vi garantisco che è una storia interessante».

Tommy annuì, colpito dal coraggio di quel ragazzino insignificante.

«Le storie interessanti mi piacciono» disse.

Frederic cercò di dare il suo meglio per rendere quella storia credibile, sensata e non troppo lunga.

Lo ascoltarono, in silenzio.

Neanche toccarono quello che c'era nel vassoio.

Più volte si scambiarono sguardi di stupore.

Alla fine del racconto, silenzio.

C'era solo la musica techno che andava avanti, imperterrita.

Bum bum bum bum bum.

Poi Tommy scese dal tavolino, si sgranchì le gambe e si chiuse bene la giacca, come per prepararsi ad andare via.

«Questo è fulminato» disse freddo. «Buttatelo via. E anche 'sta roba, da fredda fa ancora più schifo che appena fatta».

Gli altri lo presero e lo buttarono via.

Nel senso che appunto che lo presero, di peso, e lo buttarono a forza su un camion che stava per portare via la carta da riciclare del centro commerciale.

Quelli del camion non si erano resi conto di nulla, misero in moto e partirono.

Frederic rimase lì, sdraiato su una montagna di carta e qualche immondizia sparsa, a guardare il cielo.

Missione fallita.

Dobbiamo cavarcela da soli.

Tre ragazzini e un fantasma che ha le ore contate.

Dobbiamo trovare suo figlio che ha cent'anni.

Dobbiamo trovare il varco entro mezzanotte.

Dobbiamo fare sempre molta attenzione alle Ombre.

Frederic con un po' di fatica si mise in piedi.

Vide in giro numerose Ombre. Sembravano in caccia, si muovevano rapide. Sembrava che sfidassero l'assenza di tenebre, come se la loro fame fosse diventata intollerabile. Che ne sarebbe stato del mondo, se le Ombre avessero preso il sopravvento?

Non senza fatica, riuscì a richiamare l'attenzione delle persone nella cabina guida.

Per fortuna (la fortuna aiuta gli sfigati), scoprì che i due a bordo erano dei fantasmi, che presero molto a cuore i suoi problemi e gli diedero un passaggio fino a casa.

Scendendo dal camion, Frederic si rese conto che a quel punto bisognava fare quello che, a undici anni, non avrebbe mai voluto fare.

Bisognava chiedere aiuto a mamma e papà.

46
CREDETEMI, VI PREGO

Erano passate da poco le dieci e mezzo quando Frederic rientrò in casa.

L'angoscia della sua scomparsa era già stata spazzata via dal ritorno di Liz e di Ben. Erano stati un po' vaghi su che cosa fosse successo, ma la parlantina di Liz era riuscita comunque a tranquillizzare i genitori di Frederic. Camillo, invisibile, era andato su in camera e si era sdraiato sul letto. Era debole e la gamba gli faceva molto male, ma non vedeva l'ora di andare a trovare il vecchietto che abitava lì vicino.

I genitori e i nonni di Liz e Ben vennero a loro volta avvertiti e gli si spiegò che entro non molto sarebbero stati riaccompagnati sani e salvi alle loro case. La Polizia venne avvertita, ma date le scarse spiegazioni sull'accaduto, le tre famiglie vennero convocate il giorno successivo *per accertamenti*.

Frederic si era preparato a un'accoglienza complicata: sparire per un giorno intero, tornare sconvolti e sporchi e soprattutto senza una buona giustificazione, erano proprio le cose che facevano arrabbiare gli adulti.

Alessandro e X erano seduti al tavolo di cucina e Liz

e Ben stavano mangiando un piatto di pasta: improvvisamente si erano accorti di avere una fame da lupo. Liz mangiava e prendeva tempo: senza Frederic era *assolutamente impossibile* spiegarsi.

Appena Frederic vide la madre si sentì sollevare e stringere tra le sue braccia come non gli succedeva da tanto tempo. X piangeva, lui sentiva le lacrime calde che gli bagnavano il viso e non diceva nulla. Poi lo posò, si pulì il viso e disse solo: «Hai fame anche tu?»

Lui vide Liz e Ben che stavano finendo di mangiare, disse ai genitori che non aveva fame e agli amici che con Tommy era stato un fallimento colossale e che l'avevano anche picchiato e poi chiese come stesse Camillo.

«Sta bene» disse lei. «È stanco e acciaccato ed è su che riposa».

«Camillo?» chiese Alessandro. «Chi è che sarebbe su che riposa?»

Frederic si tolse la giacca. Si sedette.

«Vi spiego tutto. E spero che voi capirete».

Prese fiato, poi continuò: «C'è un modo facile e uno difficile per dirvelo. A quello facile, crederete subito, ma non dipende da me. Per quello difficile, invece, dovete fidarvi di me».

I suoi genitori non avevano idea di dove volesse andare a parare col suo ragionamento, e restarono in silenzio.

«Sono successe delle cose incredibili, e io ho bisogno che voi mi crediate».

Liz e Ben annuirono.

«Voglio proprio vedere come se la cava» disse Liz.

«Allora» proseguì Frederic, «vi dirò solo cose vere. Non sono mie fantasie: siamo in tre e tutti e tre sappiamo che non ci siamo inventati niente».

Gli erano venuti gli occhi lucidi per l'emozione.

«Adesso piange anche. Che attore da quattro soldi» disse Liz a Ben, sottovoce.

Alessandro e X si guardarono, guardarono quel bambino che *avevano fatto loro*, e quello che videro era un bambino che voleva una sola cosa: essere creduto. Sulla parola. Senza dubbi.

E loro due credettero.

Credettero in anticipo a tutto quello che loro figlio avrebbe detto, non importava se strano o impossibile o *incredibile*.

Sapevano che se in quel preciso momento avessero dubitato quella famiglia sarebbe andata in pezzi e non si sarebbe riaggiustata mai più.

«Ti crediamo, piccolo mio» disse X.

E dopo qualche secondo: «Ti crediamo» disse Alessandro.

Frederic capì che quella sera si stava costruendo una nuova idea di felicità.

Ma il tempo volava e andò dritto al punto.

«Quello che è successo oggi ve lo raccontiamo dopo. La cosa fondamentale da sapere è che in camera mia c'è fantasma di un ragazzo che è morto cento anni fa. È fatto come un ragazzo normale, ma ha dei poteri strani, tipo che diventa invisibile quando vuole e cose del genere. È un fantasma buono, non farà del male a nessuno. Lui non può però rimanere qui sulla terra, entro mezzanotte deve trovare il modo di aprire una specie di porta che lo porterà dove finiscono le anime dei morti. Ma prima deve ritrovare suo figlio, che è vecchissimo ma ancora vivo e attenzione: è il vecchietto che vive dall'altra parte del parco. E poi bisogna proteggerlo da degli spettri malvagi e pericolosissimi che lo vogliono catturare e distruggere. Credo che sia tutto, abbiamo poco più di un'ora per farlo e se non ce la facciamo sarà una catastrofe».

Aveva parlato praticamente senza mai respirare e ora rimase lì, senza fiato. Faceva lui stesso fatica a credere a cose del genere. Come avrebbe potuto pretendere che altri lo facessero?

I suoi genitori non dissero nulla, si alzarono e andarono da lui. Lo abbracciarono, commossi dal coraggio di quel bambino e turbati dal mondo straordinario in cui improvvisamente era piombato. Si aspettavano ben altro, e in qualche modo furono sollevati che loro figlio non avesse dovuto raccontare delle *cose brutte*.

Gli avevano creduto prima, gli credevano ora.

Ci capivano poco, ma non sempre è necessario capire, per credere: questo lo sanno tutti.

Camillo, zoppicando, scese dalle scale. «Anche per me è stato complicato» disse. «Ma alla fine ho imparato ad accettarlo. E se non ci fossero stati questi bambini…»

«Ragazzini» lo corresse Liz.

«Se non ci fossero stati questi ragazzini, io non sarei qui e non avrei ancora una piccola speranza di poter andare dove devo andare».

X, con la capacità pratica che hanno solo le mamme, disse: «Avete detto che c'è da fare qualcosa prima di mezzanotte, no? Allora, qualunque cosa ci sia da fare dobbiamo sbrigarci. Prima di tutto dobbiamo andare dal signore anziano che vive qui vicino, giusto?»

«Giusto» disse Frederic, che non stava più nella pelle dalla gioia di poter condividere un'avventura del genere con i suoi genitori.

«E allora andiamo».

Liz, Ben e Frederic urlarono forte un evviva.

Alessandro prese una grossa torcia elettrica.

«Che cos'altro ci può servire?»

«A me più che altro un bagno» disse Liz «Oggi ho rischiato già troppe volte di farmela addosso».

Frederic ne approfittò per andare su in camera sua, dicendo che si era ricordato di una cosa.

Entrato in camera, aprì la finestra e ammainò la bandiera col Jolly Roger.

Prese dallo zainetto la bandiera rossa.

Sandokan, Yanez de Gomera, Tremal-Naik e tutte voi Tigri della Malesia, questa notte vegliate su di noi ragazzini che andiamo alla battaglia con coraggio e con paura.

Un minuto dopo, la bandiera rossa sventolava nell'aria gelata della notte. Così, per mettere in chiaro che, anche se sfigati, i pirati erano davvero molto arrabbiati.

Tornò giù, erano tutti pronti.

Pronti per la battaglia.

Le loro armi: il telefonino scarico di Liz, l'immagine stampata di una bicicletta e la moneta d'oro di Frederic, i piccoli tesori di Ben e il manuale di istruzioni di Camillo.

Insomma, disarmati ma pronti per la battaglia.

Alessandro accese la torcia elettrica.

«Erano secoli che non mi veniva la pelle d'oca» disse con una certa soddisfazione. «Diteci che cosa bisogna fare, siamo con voi».

Uscirono di casa.

Erano le 23:10.

Frederic si avviò per primo tenendo per mano Camillo, seguito da tutti gli altri.

Sono il primo eroe della storia che va verso la battaglia finale accompagnato dai genitori.

47
LA TEMPESTA SI AVVICINA

Lasciarono il vialetto e attraversarono il parco.

Quando passarono davanti all'albero più brutto del mondo, Camillo si fermò e appoggiò il palmo di una mano sul tronco. Disse qualcosa a bassa voce e riprese il suo cammino.

«Che cosa gli hai detto?» chiese Frederic.

«Solo che mi spiaceva quanto avesse sofferto».

«E lui ti ha risposto?»

«A modo suo».

Il muretto era mezzo crollato e non fu difficile scavalcarlo.

Ecco la casetta del vecchio. Dentro c'era una luce accesa, fioca, forse solo il fuoco di un caminetto.

E c'era musica: un vecchio disco suonava una vecchia melodia.

«Tutto sembra tranquillo» disse Ben.

«Molto tranquillo» disse Frederic.

«Troppo tranquillo. Non c'è neanche quel maledetto gufo» disse Liz.

C'era una strana elettricità nell'aria. Lunghe nuvole nere arrivarono veloci, soffiando via la luna e le stelle.

Improvvisamente, un tuono e un lampo.

Il gufo era per terra, morto.

La torcia elettrica si spense di colpo. Tutti si fermarono.

Aspettarono, nel silenzio e nel buio più totali.

Un altro lampo.

Lì attorno era pieno di Ombre.

«Chi sono?» chiese X, terrorizzata.

«Si chiamano Ombre» rispose Liz. «E fanno veramente schifo».

La musica da dentro finì. Il vecchio giradischi andò ancora avanti per qualche secondo, gracchiando piano, poi tacque.

Cinque umani e un fantasma. Sarebbe stato sufficiente per proteggere Camillo?

Il manuale diceva, al punto dieci della guida rapida: Sei al sicuro nei posti affollati (da gente viva).

Le Ombre iniziarono ad avvicinarsi.

No, loro non bastavano per proteggere Camillo.

Non c'era via di scampo.

Le radici dell'albero più brutto del mondo si mossero veloci, come tentacoli di una piovra, e imprigionarono una delle Ombre, stritolandola. Ne catturò una seconda. Dalle tenebre ne emersero numerose altre.

No, non c'era modo di sfuggire a questo attacco.

Ma un fascio di luce tagliò le tenebre.

Le Ombre si rifugiarono nel loro nulla.

C'era qualcuno con una torcia elettrica. Prima la luce li abbagliò, poi cominciarono a vedere bene: era Tommy.

«Non è solo!» Liz indicò altre luci alle spalle di Tommy.

C'era tutta la sua banda, ognuno con una torcia elettrica. E con loro una dozzina di altri bambini della scuola!

Arrivarono tutti e illuminarono tutta la zona.

Tommy andò da Frederic e gli diede una pacca sulla spalla.

«Mi sembrava una storia troppo stramba per non essere vera» disse, «e nel dubbio sono venuto a vedere. Se poi avessi scoperto che mi avevi preso in giro ti avrei dato una lezione davanti a tutti che dopo non avresti dovuto solo cambiare scuola, ma anche città e forse addirittura continente».

Tommy indicò gli altri, quelli che non facevano parte della sua banda.

«Se quei mostri erano come dicevi… be', un po' di rinforzi non avrebbero fatto male. Ho fatto un paio di telefonate, gli ho detto che dovevano scappare da casa per vedere uno spettacolo unico: io che ti salvavo o che ti disintegravo. Poi abbiamo visto e abbiamo capito. Che cosa dobbiamo fare?»

«Dovete stare con noi, se siamo in tanti quei mostri non ci possono attaccare. Dobbiamo andare lì dentro. Fate più luce possibile».

Frederic gli porse la mano. Tommy la strinse.

«Scusa se ti abbiamo buttato nell'immondizia».

«Acqua passata».

Frederic presentò rapidamente Camillo e i suoi genitori, mentre tutti i ragazzini, coordinati da Tommy, si disponevano in due file, creando un passaggio sicuro fino all'ingresso della casa con le loro torce elettriche.

I tre ragazzini, i due adulti e il fantasma andarono verso la porta di ingresso della casetta.

Nel cielo, i tuoni e i fulmini aumentavano sempre di più. La terra quasi tremava, per la violenza dei colpi.

«Sembra di essere in guerra» disse Ben.

«*Siamo* in guerra, babbeo» replicò Liz.

«Scusa, capo».

«Fatti furbo».

Camillo si avvicinò al gufo morto, si chinò e lo accarezzò. Poi si rialzò, cercò di dimenticare il male feroce alla gamba, disse alla febbre di lasciarlo in pace, respirò profondamente e disse: «È bello essere qui con tutti voi».

Si sistemò come meglio poteva i vestiti e i capelli, si mise ben dritto: ora sembrava ancora più magro e più alto.

Quello che tutti videro era una creatura strana e fragilissima, ma anche meravigliosa, e unica, e perfetta nell'attesa luminosa del momento più importante di tutta la sua vita.

«Sono pronto» disse.

Bussò alla porta.

Silenzio.

Bussò ancora, dolcemente, come quando si ha paura di disturbare.

O paura di spaventare.

Ci fu un rumore, dentro: forse una sedia che si spostava.

E infine
la porta
lentamente
si aprì.

48
TI HO ASPETTATO SEMPRE

La casetta era piccola e accogliente. C'era una vecchia lampada, col paralume verde, e un caminetto acceso. Sembrava persa in un tempo antichissimo.

Pochi mobili, di legno, niente televisore. C'era un tavolo da pranzo, con una sedia sola. L'uomo aveva un bastone da passeggio, grezzo e storto, fatto a mano da un ramo di pino.

Era vecchio. Alto quasi due metri, aveva gli occhi azzurri con le pupille strane: non erano nere ma grigio argento.

Indossava una camicia di flanella, pantaloni di velluto e pantofole di feltro.

Vide Camillo e tutta quella gente fuori. Rimase immobile. Strinse solo il bastone, come se fosse pronto a usarlo per mandare via tutti.

«Che cosa volete?» chiese.

Frederic era molto incuriosito da quella persona che non aveva nessun timore a guardare negli occhi quella strana truppa che gli era capitata sull'uscio di casa a un'ora così tarda, mentre fuori sembravano in corso le prove generali per la tempesta del secolo.

Aveva riconosciuto i nuovi vicini di casa, ma gli sembrava piuttosto strano che avessero deciso di andare a presentarsi proprio quella notte. Ma sapeva altresì che erano americani, e dunque che da loro ci si poteva aspettare di tutto.

«Ho solo bisogno di parlarti» disse Camillo.

Il vecchio tornò a guardare quel ragazzo che stava davanti a tutti e per un istante vacillò. Sembrava avesse avuto un improvviso malore e si sostenne con una mano allo stipite della porta, poi però si riprese e si fece da parte per far passare Camillo e gli altri.

«Entrate» disse.

Per tutto il tempo non aveva tolto gli occhi da quel ragazzo alto quasi come lui.

«Prego» aggiunse. «Purtroppo non è una casa pensata per così tanta gente».

Le mani del vecchio tremavano non poco quando andò al lavandino e si riempì un bicchiere d'acqua. Lo bevve, poi riempì una caraffa che appoggiò al tavolo, con cinque bicchieri.

«Cesare Montegioco, giusto?» chiese Camillo.

«Sì» disse il vecchio.

«Figlio di Camillo e di Margherita».

«Sì. Voi siete i vicini e io… non sono abituato, capite… non ho né del tè né altro ma…»

Non riuscì a continuare la frase. Si tolse gli occhiali, si asciugò gli occhi con un fazzoletto, che poi usò meccanicamente per pulire le lenti. Sembrava debole, come se quell'anziano alto e nobile che aveva aperto la porta si fosse trasformato in un vecchietto curvo e malaticcio.

«Vi prego, ditemi che cosa sta succedendo perché ho paura di star dando i numeri».

«Sono Camillo» disse semplicemente il ragazzo. «È una storia molto complicata, ma sono io».

Il vecchio si avvicinò a Camillo, lo guardò ancora a lungo, con le mani rugose gli accarezzò lentamente il viso, quel viso che era identico a quello che ricordava nelle fotografie di suo padre, quel viso che la guerra aveva fatto rimanere giovane per sempre.

«Sei solo un ragazzo» disse.

«Sì. Sono io. Sono tornato» disse Camillo, e abbracciò il vecchio, piangendo.

Il vecchio strinse forte Camillo, quasi volesse tenere stretto a sé quello che tanto aveva aspettato e che ora poteva volare via di nuovo per sempre.

Frederic pensò che di momenti importanti la vita te ne dà quanti ne vuoi, ma te li dà sempre *improvvisamente*. E sia lui che Liz che Ben ebbero la sensazione che vivere momenti del genere fosse un elemento fondamentale del *diventare grandi*.

«Devo capire» disse il vecchio.

Camillo lo aiutò a sedersi sulla poltrona, poi prese uno sgabello di legno e si sedette di fronte a lui. Strinse quelle mani rugose tra le sue e le accarezzò.

E parlò, Camillo, raccontò quello che doveva raccontare, con parole che erano frammenti raccolti di una vita lontana.

Cesare ascoltò in silenzio, gli occhi brillanti di una felicità e di una tristezza immensa.

Poi si alzò, andò verso una credenza e tirò fuori da un cassetto una scatola di legno dove c'erano alcuni oggetti.

Una foto dei due genitori in posa, seri, eleganti, con un neonato in braccio.

Una foto di Camillo, in divisa, simile a quella che c'era sulla tomba.

Una medaglia al valore militare dell'Esercito Italiano.

Un telegramma pieno di retorica per i caduti in battaglia.

E una lettera.

La lettera.

Spedita dal padre dal fronte.

Senza bisogno di leggerla, il vecchietto ripeté quello che c'era scritto.

E quando fu poco oltre la metà, alla sua voce si sovrappose quella di Camillo, e continuò lui a dire quello che una piccola matita aveva scritto in una trincea scavata un secolo prima nella terra dei morti.

«... tu lo devi credere, davvero, perché te lo dice il tuo papà. Non essere triste perché io tornerò. Te lo prometto, tornerò da te» concluse Camillo.

Tacque per qualche istante, poi aggiunse: «Non sono stato capace di mantenere questa promessa».

«È strano...» disse il vecchio. «Sono cresciuto con la certezza che i grandi non avrebbero mai mantenuto la parola data. Ma non riuscivo a togliermi dalla testa che certe cose devono avere un senso. Se no non vale niente. Io ti ho aspettato tutta la vita. Forse è per questo che sono ancora qui. Perché ti ho aspettato sempre».

«È stata dura, per la mamma, quando io... io non sono tornato?»

«Molto. Anche se erano passati anni, mi parlava sempre di te».

«E cosa diceva?»

«Com'eri. Come ridevi, come sapevi farla ridere. Si inventava anche molte cose perché alle volte mi raccontava di quando avevamo fatto qualcosa tutti e tre assieme quando io ero piccolo e... ovviamente erano cose che non potevano essere successe. Ed è assurdo ma adesso io *ricordo*, io ricordo di quando ero con te al torrente, in autunno e in primavera e camminavamo sulle pietre e lei prendeva il sole e noi costruivamo le dighe e poi facevamo il bagno e alla fine tu accendevi un fuoco piccolo e preparavi qualcosa da mangiare per tutti e tre; io *rivedo* quella volta che era luglio o agosto, e c'erano gli amici a cena con noi, fuori in giardino e tu eri salito sul tavolo e ti eri messo a ballare e la mamma ti diceva di scendere mentre tutti applaudivano; e io lo *so* com'era, quando in montagna ero stanco di camminare e tu mi mettevi sulle tue spalle e in cielo passavano le aquile e io dopo un po' mi addormentavo e poi a casa ti lamentavi che eri stanchissimo: e tutto questo era *vero*, era vero perché ci credeva anche lei, era una donna speciale. Mi ha insegnato a credere alle cose impossibili. E così mi ha insegnato a sopravvivere. Anche io ho visto la guerra, sai? Molti anni dopo la tua».

«Io… io mi vergogno, di aver visto la guerra».

«Tutti ci vergogniamo della guerra. È giusto così». Poi, improvvisamente, gli scappò un sorriso infinito. «Cantava, la mamma. Cantava spesso, qui. Se faccio attenzione, la sento ancora, l'eco di quella voce che canta».

Camillo capì che quella era la casa che aveva visto nei suoi ricordi, la casa dalla quale era partito, e alla quale non era mai ritornato: era *casa sua*.

Come accade alle persone, gli anni avevano tolto tanto, ma l'avevano anche trasformata piano piano, l'avevano fatta infine assomigliare a quello che era giusto che fosse: una casa che, un giorno, nel mezzo di una tempesta, avrebbe accolto al caldo un uomo che tornava dalla guerra, e altri uomini, grandi e piccoli, che l'avevano aiutato in un compito così difficile.

«Ma tu, che cosa sei?» chiese Cesare.

Sono un fantasma, figlio mio.

«Sono solo tuo papà. E sono tornato».

Frederic sentì, in tasca, il manuale di Camillo vibrare.

Poi fu tutto il pavimento che si mise a tremare.

Ed ecco che un'esplosione fece tremare tutto.

Un fulmine aveva colpito la casa.

I vetri esplosero, la casa prese fuoco. Di colpo, la violenza del cielo si trasformò in fiamme e fumo e tutto il mondo sembrò preso da una furia che voleva spazzare via tutto.

Lì attorno, i ragazzini della scuola furono costretti ad allontanarsi, e altri fulmini continuarono a colpire e sconquassare la casa e fu difficile vedere che cosa stesse succedendo.

Una dopo l'altra numerose Ombre emersero dai loro nascondigli e si avvicinarono alle finestre ora vuote e luminose come le orbite di un teschio.

«Come situazione disperata non siamo messi male» disse Liz, senza riuscire a mettere nessuno di buon umore.

Un'Ombra emerse da una finestra, piantandosi i cocci di vetro nelle mani nere e sudice e spalancò mostruosamente le fauci nello sforzo. Le cadde una trave addosso e sparì alla vista. Immediatamente però ne comparve un'altra. E un'altra ancora.

Dentro non si poteva più restare: il caldo, il fumo e le fiamme e la minaccia delle Ombre richiedeva un'azione immediata.

Uscire da quell'inferno sembrava impossibile.

49
DIECI MINUTI A MEZZANOTTE

Cesare prese la lettera e le fotografie e se le mise in tasca. Tirò fuori da un cassetto una vecchia chiave molto pesante.

«Seguitemi» disse senza paura.

Come ebbe a dire in seguito Liz: «Se una notte buia e tempestosa un uomo di cent'anni figlio di un fantasma, in una casa in fiamme assediata dai mostri dice senza paura di seguirlo, be', il minimo che puoi fare è seguirlo, magari senza fare troppe domande».

E così lo seguirono senza fare troppe domande.

Lui spostò un tappeto, rivelando una botola nel pavimento di legno. La aprì, una scala ripida che scendeva nel buio.

Le fiamme stavano ormai avvolgendo tutto. La casa era vecchia, e di legno, e il fuoco l'abbracciò con violenza. Tre Ombre entrarono in casa. Bruciavano anche loro, ma non si fermarono.

Scesero tutti e sette, uno dopo l'altro, fino a una vecchia cantina. Poi richiusero la botola.

Cesare si fece dare la torcia elettrica di Alessandro, e illuminò una porta pesante che sembrava chiusa da sempre.

«Veloci, che qui può crollare tutto».

Restituì la torcia ad Alessandro, aprì la porta con la chiave e si mise contro il muro, per far passare gli altri. Quando fu passato l'ultimo, lo seguì, chiuse la porta e tirò giù anche una pesante spranga di metallo arrugginito. Dopo poco, sentirono i tonfi delle Ombre che cercavano di abbattere la porta.

Ora i sette in fuga erano in un tunnel strettissimo, buio e gelato. Un frastuono assordante fece tremare il soffitto e cadere un po' di calcinacci.

«La casa è crollata» disse Cesare. «Veloci, che qui non reggerà ancora a lungo».

Dietro di loro, il soffitto piano piano cedeva… fino a quando non si trovarono a correre a perdifiato inseguiti da un crollo che avrebbe impedito ogni possibilità di ritorno. Se non altro, bloccava anche il passaggio alle Ombre che sicuramente avevano cercato di seguirli.

«Se crolla anche davanti a noi è finita. Veloci, veloci» disse Cesare, che seguiva il gruppo in fondo alla fila.

«L'ho mai detto che ho il terrore degli spazi chiusi?» disse Liz.

«No» disse Frederic.

«Sappi che è tutta colpa tua se siamo finiti in una situazione così miserabile. Grazie davvero. Vatti a fidare degli amici».

La polvere e i calcinacci rendevano difficile vedere, ma non c'era molto da scegliere: bisognava correre in avanti, senza pensare. Ma era difficile respirare, e gli occhi bruciavano.

Il piccolo Ben scivolò e cadde, X lo tirò su al volo senza fermarsi.

Si trovarono davanti a una porta.

Chiusa.

Cesare provò ad aprirla, ma dopo vari tentativi febbrili la vecchia chiave si ruppe nella serratura.

Dietro a loro il passaggio stava collassando.

Camillo provò ad attraversare la porta, magari dalla parte opposta sarebbe stato più facile aprirla, ma era troppo debole e non riuscì.

Alessandro allora prese a calci la porta, e poi gli andò contro a spallate, era una porta pesante e reggeva bene agli urti.

Tutti ora urlavano, non si vedeva quasi niente, stavano per essere sepolti vivi, nessuno avrebbe mai potuto salvarli.

Alessandro non si dava per vinto, spallata dopo spallata, stringendo i denti e dimenticando il male ai muscoli, alle ossa... *Dai, ancora una volta, maledetto incapace*, si disse. *Dai, più forte, tutto il peso contro la porta, non mollare, non fa male, dai, ancora e ancora e ancora!*

Nel momento esatto in cui si accorse di essersi slogato la spalla, la porta cedette e si spalancò, lui cadde in avanti e in un secondo tutti quanti si misero in salvo. Il passaggio cedette definitivamente alle loro spalle.

Alessandro, X e Frederic si resero conto di essere finiti negli scantinati della loro villa, dall'altra parte del muro crollato: proprio dove Frederic aveva trovato Camillo.

Passarono attraverso il buco nel muro ed entrarono in cantina.

Nessuno parlava. Erano tutti lì, erano salvi: nient'altro importava.

Alessandro provò a risistemarsi la spalla, ma faceva un male tremendo e funzionava solo nei film.

Camillo guardò i suoi compagni d'avventure: erano graffiati, coperti di polvere, calcinacci e fuliggine.

«Be', adesso sembrate tutti quanti dei fantasmi veri».
Chi riusciva ci rise su.
Frederic andò vicino a suo padre e lo abbracciò.
«Sei stato grande».
Alessandro lo strinse forte, e per qualche istante il braccio non gli fece per nulla male.
Camillo vide che Cesare faceva fatica a riprendere fiato. Trovò una sedia e lo fece sedere. Con dolcezza lo aiutò a ripulirsi il viso dalla sporcizia. Il vecchio non riusciva a smettere di tossire, ma fece cenno che era tutto a posto: non stava *troppo* male.
Liz pulì l'orologio. Aveva il vetro rotto ma si riusciva a leggere lo stesso l'ora.
Mancavano meno di dieci minuti a mezzanotte.
Ma né lei, né Frederic né Camillo né nessuno sapeva che cosa *doveva* succedere in quel meno di dieci minuti.
C'era qualcosa sul manuale che gli era sfuggito?
Poco prima della catastrofe dei fulmini aveva emesso una specie di vibrazione. Ora tremava.
Frederic prese il libro e vide che il nome scritto in oro sulla copertina era svanito.
E piano piano si stava componendo una scritta, sempre in caratteri dorati.
La scritta era: I AM THE DOOR
Come il poster che papà tiene in studio.
Io sono la porta.
E sempre tremando, il libro iniziò a emettere una specie di bagliore, tenue tenue, quasi impercettibile.
Il manuale stava cercando di *dirgli* qualcosa.
Erano le 23:53.

50

FAI SEMPRE MOLTA ATTENZIONE ALLE OMBRE

La luminosità stava aumentando.

Più si saliva, più il manuale vibrava ed emetteva luce.

C'era poco tempo.

Salirono le scale, sbucarono al piano terreno.

«Bisogna andare ancora più in alto» disse Frederic. «Forza».

Salirono le scale, e la luminosità aumentava.

«Mi sento abbastanza un'idiota a seguire un manuale per le istruzioni luminoso» disse Liz a Ben. Poi ci pensò un po' su e aggiunse: «Ma d'altra parte, mi sentivo lo stesso abbastanza un'idiota anche prima, quando non avevo nessun manuale luminoso da seguire».

Ben le consigliò, per esperienza personale, che alle volte era molto meglio stare zitti.

Raggiunto il primo piano andarono ancora più su, e la luce aumentava, e salirono per una scaletta che portava a un terrazzo che nessuno aveva mai messo a posto: era grande e circondato da una merlatura in stile medievale.

Più in alto non si poteva andare e ora il libro emanava una luce abbagliante.

Da lì videro quel che rimaneva della casetta, laggiù,

che ancora bruciava. I fulmini continuavano a colpirla senza pietà, come se fosse necessario devastarla finché nulla fosse rimasto.

Si sentivano delle sirene in lontananza. Tommy e la piccola truppa che aveva radunato erano ancora lì, con le loro torce, non sapevano che fare; qualcuno parlava al telefono. Non c'era traccia di Ombre.

Cesare, col fiatone, si guardava attorno, pieno di meraviglia.

«Questa villa l'ho sempre vista da lontano. Mi chiedevo come sarebbe stato il mondo visto da qui. Era quello che dicevi anche tu» disse a Camillo, «così mi raccontava la mamma».

Camillo capì che era per quello che si era poi trovato lì dentro, dopo morto: era lì che sognava di andare, era lì che era andato a sognare.

E adesso era lì e vedeva il suo passato bruciare, per sempre.

Frederic e gli altri si accorsero che quando il libro veniva mosso lasciava una scia di luce che poi rimaneva nell'aria per qualche secondo, come se fosse stata una cosa viva, che si poteva toccare.

Col manuale in mano, Frederic iniziò a fare con le braccia dei giri lenti, sempre più ampi, e la luce ora era un cerchio, e il cerchio si ingrandì sempre di più, finché non raggiunse le dimensioni di una porta. A quel punto si fermò, e la vibrazione divenne una melodia dolcissima.

La luce non ebbe più bisogno del libro, e restò lì, abbagliante.

Camillo ne fu come ipnotizzato. E anche tutti gli altri.

Il punto sei della guida diceva: Puoi smettere di essere un fantasma solo attraversando la soglia.

Eccoci.

Io sono la porta.

Il passaggio si stava formando. Il cerchio di luce stava acquistando profondità: si stava trasformando in un tunnel luminoso, che avrebbe portato Camillo verso il mistero che aspettava ogni fantasma al termine della sua data di scadenza.

Mancavano cinque minuti a mezzanotte.

Come tutti, Frederic guardava la luce, e come tutti si accorse troppo tardi che lassù era arrivato il capo delle Ombre.

Con un balzo, la creatura affondò gli artigli nel petto di Camillo.

Il fantasma cercava di resistere, ma era evidente la disparità di forze: l'Ombra stava avvolgendo il ragazzo come una specie di lurido mantello e stava per affondare le zanne nel suo collo.

In un istante di respiro, Camillo gridò agli altri di scappare, subito!

Ma nessuno voleva scappare.

E ora il tunnel di luce stava cominciando a svanire.

Mancavano quattro minuti a mezzanotte.

Camillo cercò ancora di divincolarsi, ma non ce la faceva quasi più, stava per cedere.

Frederic cercava di capire, cercava di ricordare qualcosa che era quasi lì ma che continuava a sfuggirgli.

«Il manuale!» gridò il piccolo Ben.

Frederic e Liz lo guardarono senza capire.

«Il manuale dice che l'unica arma è la chiave!»

«Non abbiamo nessuna chiave!» disse Frederic.

«E invece sì!» disse Liz, euforica. «Hai aperto tu il varco! Se il libro è la porta, tu sei la chiave!»

51
IN FONDO ALLA PAGINA 1138

Dal libro *Spiriti, fantasmi, spettri e poltergeist: manuale di istruzioni.*

Alla voce: ‘Come combattere le Ombre’.

Nota in fondo alla pagina 1138: Una volta trovata la chiave, se non avete fretta di varcare la soglia potete sconfiggere le Ombre usando la chiave stessa come arma.

52
CHIUDI GLI OCCHI

Su quel terrazzo, sotto quella tempesta di tuoni e fulmini, accerchiati dalle Ombre, in quella situazione disperata bisognava *pensare*.

La chiave era l'unica arma contro un'Ombra.

Se il libro era la porta, Frederic poteva essere la chiave.

Se Frederic era la chiave poteva combattere le Ombre.

Se Frederic era la chiave poteva salvare Camillo.

Se non era così, era finita per tutti.

Tu morirai oggi.

Così mi ha detto il capo delle Ombre.

Come fare a sapere qual era la cosa giusta?

Non lo saprò mai se non ci provo.

Il piccolo Ben abbracciò Frederic.

Liz abbracciò Frederic.

Gli disse: «Vai, Freddie. Distruggi quel mostro schifoso».

E lo baciò.

Sulla bocca, per davvero.

Un bacio come quelli dei film.

A questo punto si può anche morire, pensò Frederic.

Si può anche morire, sì, anche se non si è vissuto quasi niente, anche se tutto resta ancora da fare e da vedere.

Ma si può anche vivere e fare la cosa giusta, se ci sono i tuoi genitori lì con te, i tuoi genitori per i quali finalmente esisti e che ti credono, e che hanno capito che il mondo dei bambini non è un mondo piccolo ma infinito.

Sì, si può, se c'è un amico vero da salvare.

E fortunatamente non ci fu tempo per rifletterci troppo, così i dubbi svanirono.

Frederic corse verso l'Ombra e Camillo.

Nel momento in cui gli arrivò addosso Frederic con tutti i suoi trentatré chili e tutti i suoi undici anni e tutti i suoi pensieri, i suoi sogni, i suoi desideri e tutto il suo tutto, l'Ombra piantò un urlo di dolore devastante. Cercò di colpire e graffiare e mordere il ragazzino, ma per ogni colpo che metteva a segno una parte di essa si distruggeva, schizzando liquido nero e denso e facendo esplodere pezzi simili al carbone dappertutto.

Alessandro si lanciò in avanti per aiutare suo figlio e Camillo, ma in quel momento numerose altre Ombre presero d'assalto il terrazzo e lui fu impegnato a respingerle a pugni e a calci e come poteva.

E intanto l'Ombra, nel suo corpo a corpo con Frederic continuava a sfaldarsi, era sempre più debole ma continuava a combattere, ferocemente, urlando e fumando.

Era una lotta animale, una lotta primitiva, artigli, denti e forza feroce. E disperazione assoluta.

Con un urlo terrificante di odio e di dolore, l'Ombra cercò di colpire ancora una volta Camillo, ma Frederic si buttò senza esitare tra l'amico e gli artigli del mostro. L'impatto fu violentissimo e fu fatale per l'Ombra, che vide con orrore il suo braccio esplodere e subito dopo perse energie e, come sconquassata da una scossa di terremoto, crollò a terra.

Di lei non restarono altro che stracci neri e fumanti e una pozza nera dove si agitavano vermi neri, agonizzanti.

Con la sconfitta del loro capo, le altre Ombre vennero travolte dalla paura e fuggirono via.

Alessandro corse ad abbracciare suo figlio: sembrava salvo ma respirava a fatica. Per terra, Camillo era ferito e raggomitolato.

Camillo riaprì gli occhi. Provò a rialzarsi, ma non ce la faceva. Lo sorressero X e Liz.

Le lancette dell'orologio avevano corso.

Ora mancava un minuto.

23:59:00

Il tunnel di luce era sempre più flebile e non vibrava più.

Camillo aveva dei segni neri terribili addosso, e doveva provare un gran dolore, eppure si sforzava di camminare. Le ginocchia gli cedettero e quasi cadde.

«Stai tranquillo, ci siamo noi qui» gli disse dolcemente X. Quanto era leggero quel ragazzo. Bisognava tenerlo forte ma *piano*: tutto lo avrebbe potuto spezzare.

Arrivarono davanti al tunnel.

Lì Camillo riuscì a restare in piedi da solo.

I fulmini smisero di colpire la terra.

Il viso scavato, gli occhi quasi persi nelle loro orbite. La pelle ormai senza colore, come se avesse improvvisamente ricordato che lì dentro, di vita vera, ce n'era solo una fiammella debolissima e che il vento se la sarebbe presto portata via.

Camillo iniziò a fare un passo per entrare nel tunnel, ma subito si fermò.

23:59:25

Guardò Frederic. Allargò le braccia, piano.

Frederic corse da lui.

Si abbracciarono.

«Grazie amico mio» disse il fantasma.

Il ragazzino non disse nulla, le parole importanti erano finite, semplicemente lo abbracciò come abbracciano i bambini: ti mettono *addosso* in un istante tutta la loro vita.

23:59:40

«Una volta mi hai chiesto come si sente un fantasma» disse Camillo a Frederic.

«Sì».

Lo strinse con tutta la sua poca forza.

«Chiudi gli occhi» disse.

Frederic chiuse gli occhi.

Istintivamente gli si avvicinarono gli altri: i suoi genitori, i suoi amici.

Cesare se ne restò in disparte, commosso. Forse era davvero valsa la pena di attraversare cento anni di vita per arrivare fino a lì, quella notte, vicino al fantasma di suo padre, in quella villa strana, lontano da tutto eppure così vicino a qualcosa di immenso.

23:59:55

Certo che era davvero un cerchio strano, quello: bambini, giovani, adulti, vecchi, tutti spaventati, tutti feriti, tutti sbagliati, tutti *vivi*, sì, vivi. Se ci avessero pensato avrebbero certo riso di essere così fuori posto ma non c'era tempo per pensare a nulla perché con un lampo tutto cambiò.

53
TUTTO QUELLO CHE C'È IN UN ATTIMO

Il piccolo Frederic, undici anni di ragazzino timido, solitario, che amava i pirati e che avrebbe voluto essere amato dai suoi genitori; trentatré chili di ragazzino che non era ancora capace a dire la sua in un dibattito in classe e che aveva appena ricevuto il primo bacio della sua vita; centoquaranta centimetri di ragazzino pronto a morire per salvare un fantasma; il piccolo Frederic sentì come si sente un fantasma.

E con lui, *attraverso* lui, anche gli altri sentirono.

Le stelle, prima di tutto.

Sento tutte le stelle del cielo, e stanno cantando un canto iniziato miliardi di anni fa, una melodia perfetta che è luce e che è fatta della stessa sostanza di cui è fatto il tutto; sento i pianeti e il loro viaggio e quello che loro fanno non è semplicemente andare: è *danzare*, danzare sulla musica delle stelle, una danza che è da sempre e per sempre; sento gli aerei che passano lassù, sento tutti i pensieri e tutti i sogni di tutti i passeggeri. E vedo tutte le rotte di tutti gli aerei su tutte le luci di tutte le città, e sento il vento che si infila tra i rami degli alberi, ed è musica anche quella; capisco il mistero del ghiaccio e delle gocce di pioggia che si formano nelle nuvole in movimento, ed è musica anche quella; ed è un'altra musica ancora quella delle foglie che cadono, della linfa che scorre nei rami e nelle radici, è musica quella dei fili d'erba che crescono, degli insetti che vivono e muoiono; ora sento e capisco le voci degli animali notturni, e gli stormi di uccelli nel cielo sono *parole* che capisco, e ogni parola è detta per la prima volta; sento il profumo della mia mamma e sento il suo cuore; sento la fatica di mio papà e i suoi sogni spezzati e i suoi sogni ancora interi; sento i ricordi dei miei amici, le loro emozioni, il loro respiro e il futuro enorme che cresce dentro di loro; sento chiaro il tempo che passa veloce e sento sulla mia pelle la vita che è dappertutto...

Sento la pioggia e la neve e la terra e i raggi del sole e le cellule del mio corpo e del tuo corpo e del vostro corpo e sento l'amore che c'è in mezzo alle persone e al dolore che c'è in mezzo alle persone; mi arriva addosso tutta la fatica di tutte le guerre e la rabbia di ogni bambino che piange perché ha fame e di ogni uomo e di ogni donna che piangono perché stanno soffrendo e ancora sento risate e abbracci e la luce e il senso della luce e l'origine della luce e il destino della luce, e tutto questo è giusto, ed è ingiusto ed è tutto attorno *qui* dentro e fuori di me, dentro e fuori di *noi* in un istante e in un istante è svanito.

Per sempre e... per sempre.

Ecco com'è che si sente, che cos'è che *sente* un fantasma.

54
QUATTRO SECONDI

23:59:56

Il tunnel adesso era meno luminoso, il suo pulsare più debole.

Era un cuore che stava per smettere di battere per sempre.

Camillo era a un passo dal varco. Si guardò attorno.

Tremava.

«Io...» disse «... io non ce la faccio. Ho paura».

23:59:57

Con le lacrime agli occhi, sentì una mano prendere la sua.

Era la mano di un vecchio.

La mano di Cesare, suo figlio.

«No» disse Cesare, «basta con la paura. Ti accompagno io».

23:59:58

Camillo lo guardò. Vide un vecchietto che aveva aspettato per tutta la vita il ritorno del padre dalla guerra e quando ormai la sua attesa non sembrava che il delirio di una mente stanca, ecco che il padre era tornato: un padre ragazzino, ragazzino per sempre.

Camillo capì che suo figlio era pronto a andare con lui 'dall'altra parte'.

Capì che suo figlio era pronto a morire per stare ancora, dopo così tanto tempo, qualche istante insieme a suo padre.

23:59:59

Camillo, col vecchio per mano, con *suo figlio* per mano, attraversò la soglia.

E la paura no, in quell'istante non c'era.

Luce.

55
ATTRAVERSO IL MAI

E così padre e figlio, mentre un campanile lontano batteva la mezzanotte, un padre giovane e un figlio vecchio, mano nella mano, si avventurarono nel bianco abbagliante del tunnel di luce, che in un istante si trasformò in una stella cadente al contrario: dritta su, veloce, verso la notte, verso il cielo.

Frederic, Ben, Liz, Alessandro e X li seguirono con lo sguardo e con i pensieri, da quando non erano che due miraggi incastonati nel cerchio luminoso finché non fu più possibile distinguerli da una delle numerose stelle che erano comparse in cielo.

La tempesta era finita, non c'era più nessuna nuvola, piano piano tornarono anche i rumori della città.

Ed ecco che a perdita d'occhio, nella città e oltre, apparvero altre luci, cerchi di luce che diventavano dei varchi per il *chissàdove* e volavano via in cielo.

«Porca di quella porca miseria porca!» esclamò Liz. «La leggenda era vera! Freddie hai davvero aperto i varchi per tutti i fantasmi!»

Frederic era confuso. Davvero era stato lui a far succedere tutto quanto? Lui non aveva fatto altro che quello che era *giusto* fare, lui aveva solo amato un amico e ora quell'amico non c'era più.

Che pace che c'era.

E che male.

Aveva male dappertutto, Frederic, dopo la lotta con l'Ombra.

Mi rimarranno parecchie cicatrici.

Figo, così sembrerò per davvero un pirata.

«Chissà se i fantasmi sono partiti tutti» si chiese Ben.

«Forse tutti no, ma di certo quei maledetti stronzi delle Ombre moriranno di fame per qualche secolo» disse Liz, che però sentiva improvvisamente le ginocchia molli e non vedeva l'ora di tornare a casa: le sembrava di essere in giro da sempre.

La realtà era caduta addosso ad Alessandro e a X come quando ti risvegli da uno di quei sogni che ti sembra siano durati tutta la notte. Si resero conto che c'erano davvero tante cose che non sapevano, che non capivano. Ora che il problema non era più *credere*, era importante sapere e capire.

«Ma quel ragazzo e suo...» A X venne spontaneo dire *padre*, ed ebbe bisogno di fermarsi e pensarci su. «... E suo figlio, dove sono andati?»

56
DOVE TUTTO È COME DEVE ESSERE

Camminare dentro la luce non è facile, vedi solo macchie e lampi e poi credi di vedere qualcosa ma sono solo forme che passano e vanno via.

Si può tornare indietro?

La mano che stringe la mia dice: si va avanti.

Quanto dura, questo viaggio?

Poi, laggiù in fondo, vedo una luce diversa.

La luce del cielo in un giorno di primavera. Le nuvole, il sole.

E più lontano una casa.È casa mia. È casa nostra.

La casa che ora è bruciata e crollata ma forse no, perché ora è lì davanti ai miei occhi.

Mi rendo conto che sono solo.

Non c'è più nessuno che mi tiene per mano.

Cesare è svanito.

Sono solo davanti alla mia casa, il sole là dietro sta calando, non fa troppo caldo, si sta bene. Ci sono dei fiori alle finestre e nel giardino, e l'erba è stata appena tagliata: c'è il suo profumo dappertutto.

Un cane abbaia poco lontano.

Mi rendo conto che ho di nuovo indosso la divisa, e ho

lo zaino sulle spalle. Arrivo al vialetto, mi fermo un attimo, ricordo i miei compagni che mi aspettavano proprio lì e che poi ho visto cadere, uno per uno, a terra.

Passo dopo passo, arrivo all'ingresso.

La porta è socchiusa.

La apro.

Entro.

E lei è lì.

Margherita.

È seduta al tavolo, legge un libro. C'è un bicchiere d'acqua, vicino al libro, e una mela.

Non mi ha sentito entrare.

Seduto sul tappeto lì accanto c'è un bambino piccolo, sta giocando con dei cubetti di legno con le lettere dell'alfabeto.

Chiudo gli occhi e loro sono ancora lì.

Li chiamo.

Lei alza gli occhi.

La penna cade per terra.

Lei e il bambino sono le cose più morbide e dolci e belle e felici e forti e buone che un uomo possa tenere tra le braccia.

«Avevo paura che non tornassi più, amore mio. Ti abbiamo aspettato così tanto…»

Le lacrime si mangiano le mie parole, ma sono lacrime di felicità: non fanno male.

«Non andrò mai più via. Per sempre»

57
DOPO LA TEMPESTA

Tre camion dei pompieri stavano spegnendo l'incendio che aveva distrutto la casetta di Cesare. La Polizia scrisse sul verbale che probabilmente il povero vecchietto era rimasto ucciso nel crollo e gli agenti non furono per nulla contenti di scoprire che tutto era successo proprio accanto alla casa dei ragazzini scomparsi nel pomeriggio. Domani avrebbero fatto una bella chiacchierata con loro.

I compagni di scuola di Frederic erano quasi tutti già sulla strada verso casa: qualcuno accompagnato dai poliziotti, altri dai genitori.

C'era anche un'ambulanza, ma gli infermieri non dovettero soccorrere nessuno. Diedero qualche coperta e del tè caldo a chi aveva freddo. Anche X non aveva perso tempo e aveva portato fuori bibite, caffè e biscotti per tutti.

Tutti i varchi in città e nel mondo si erano aperti e richiusi e ora era come non fosse successo nulla.

Non c'era più nessuna Ombra in giro.

I genitori di Liz avevano parcheggiato nel cortile della villa la loro enorme e scassata Jeep e ora si stavano salutando con Alessandro e X. C'erano anche i nonni di

Ben. I ragazzini avevano fatto una bravata non andando a scuola e non dando notizie fino a cena, ma non si erano messi nei guai seri. Un bel castigo li avrebbe fatti riflettere su come comportarsi in futuro, ma il sollievo che non avessero combinato nulla vinceva su tutto.

E poi il piccolo Ben ora parlava, il che aveva del miracoloso.

I genitori di Liz salutarono tutti, la ragazzina li seguì.

Frederic la guardò andare via, quasi sospesa in quel silenzio della notte fonda: sembrava un addio. Dopo le vacanze natalizie si sarebbero incontrati a scuola, certo, ma quel *dopo* sarebbe stato un dopo lontano e diverso, senza fantasmi, senza avventure, senza mostri da sconfiggere.

Non mi ha dato un secondo bacio, ma secondo me è solo questione di tempo. Cioè, lo spero, sarebbe bello.

Ma prima di salire sulla macchina, Liz si fermò e tornò indietro di corsa verso gli altri due suoi amici.

«Sia chiara una cosa» disse a Frederic. «Scordati di avere altri baci. La vita è complicata, ho tredici anni, tra un minuto mi verranno fuori le tette e sarà tutto un casino enorme, e anche nell'ipotesi remota che resterò una sfigata sarò comunque una sfigata con le tette e non voglio avere sulla coscienza baci promessi o fatti sognare e mai dati, te l'ho già anche detto. Ma due cose non dobbiamo scordarcele mai. Venite qui e appoggiate le mani sulla mia».

Frederic e Ben si avvicinarono a lei, che aveva il braccio destro teso in avanti, e appoggiarono le mani sulla sua. Poi lei ci mise sopra la sinistra e disse: «Primo: è possibile che oggi noi tre sfigati abbiamo salvato il mondo, ma è ovvio che non ci crederà mai nessuno, dunque evitiamo figuracce andando in giro a vantarcene. Secondo:

noi tre, per sempre, saremo amici. Anche se io diventerò uno scienziato da premio Nobel, tu Frederic diventerai presidente degli Stati Uniti e tu, Ben, diventerai il più importante ladro di macchine del mondo, be', noi siamo e saremo amici veri».

Tutti e tre si guardarono negli occhi e non ebbero bisogno di dirsi nulla. Furono le loro mani a parlare, strette una contro l'altra, forti e stanche come possono essere le mani di tre ragazzini che forse hanno appena salvato il mondo.

«Acca come accalappiacani» aggiunse solo Ben.

«Ecco, lo sapevo che era fatica sprecata» disse Liz scuotendo la testa. «Facciamo che non ho detto niente».

Con la sincronia magica che accompagna quasi sempre i grandi momenti della vita, tutti e tre pensarono a chi non c'era più.

Pensarono a Cesare e a Camillo, che erano partiti per un viaggio in un luogo e un tempo che nessuno avrebbe potuto sapere mai.

Pensarono a Leonardo e al suo autista di cui non avevano neanche avuto il tempo di sapere il nome, li avevano accompagnati e protetti ma, come migliaia e migliaia di altri fantasmi, non erano riusciti a sfuggire al potere mostruoso delle Ombre.

E infine pensarono a quei tre bambini che solo tre giorni prima correvano come matti per le strade della città cercando di non farsi picchiare dai compagni di scuola: anche loro non c'erano più, ma in che cosa si fossero trasformati, be', quello era ancora un mistero.

Liz tornò dai suoi, e Ben andò via coi nonni, ai quali già era chiaro che sarebbe stato molto molto difficile farlo smettere di parlare.

Frederic raggiunse Tommy, che stava affrontando i suoi genitori arrabbiatissimi.

«Ehi» disse Frederic.

«Ehi» disse Tommy.

«Sono molto arrabbiati i tuoi?»

«Insomma».

«Mi spiace. Ma cavoli... avete fatto un ingresso in scena davvero in grande stile. Grazie».

Tommy strinse la mano a pugno e la puntò verso Frederic, che ricambiò il gesto. «Ci vediamo a scuola, microbo, così mi spieghi che roba erano quegli uomini neri».

«Ci vediamo a scuola, dopo le vacanze». E Frederic fece pugno contro pugno con quello che forse, chi sa come va la vita, era diventato suo amico.

Anche Roberto Ammazzasette, Scheggia, BluBoy, Caterina e Veronica Morticia lo salutarono. Quest'ultima gli fece ciao con la mano, le unghie lunghe e nere, e gli fece l'occhiolino. Frederic improvvisamente pensò di avere la febbre.

Poi sentì il braccio del padre che lo prendeva e lo stringeva forte a sé.

Mentre si avviavano verso la porta di ingresso Frederic vide, fuori dal cancello, Crudelia che stava scendendo dalla macchina. Aveva sentito Alessandro e aveva saputo che i bambini erano spariti ed era passata a vedere. Non che si fosse pentita delle cose che aveva detto ad Alessandro ma, insomma, proprio un *mostro* non era.

Frederic vide che veniva avvicinata da due figure. Era buio, si vedeva male. Sembravano però due Ombre. Gli venne l'istinto di chiamarla, per avvertirla, ma lei girò l'angolo.

Quando la rivide era pallida come un cencio e le erano

comparse due strisce bianche nei capelli, probabilmente doveva essersi presa uno spavento colossale, ma ora sembrava tranquilla. Frederic la sentì dire qualcosa al telefono.

«... Si fanno chiamare le Ombre ma poi ci inventeremo qualcosa di meglio, ci siamo parlati al volo e ci intendiamo bene, va be', più che altro ho parlato io, loro emettono suoni strani ma si fanno capire, gli ho proposto un contratto per tre romanzi... sono orribili e vestiti male, ma in televisione renderanno alla grande...»

Salì in macchina e, sempre al telefono, partì senza guardare, evitando per un millimetro un furgone che stava passando.

La porta di casa si chiuse.

Frederic, Alessandro e X erano finalmente insieme, solo loro.

EPILOGO

Lavare i denti, mettere i vestiti nella cesta delle cose da lavare, indossare il pigiama.

Farsi curare le ferite e i lividi dalla mamma, che ha sempre i rimedi e i gesti giusti per ogni malanno.

Bere una tazza calda di acqua, limone e salvia, con dentro due cucchiai di zucchero, e pazienza se poi bisognerebbe lavare di nuovo i denti.

Scoprire che nel frattempo è arrivato un letto vero, e allora infilarsi sotto le coperte fresche di bucato, che quando le tocchi fanno un rumore bellissimo.

Tenere accesa solo l'abat-jour, e tenerla accesa per tutta la notte, che sarà corta ma sarà buia come tutte le altre.

Voler pensare a *mille cose* ma saper anche ascoltare il corpo che dice: adesso basta.

La mamma prese il flacone e gli spalmò sulla fronte la pomata *antimostri* e poi gli diede il bacio della buonanotte. E infine baciò il marito. Frederic non ricordava di averli visti baciarsi così, sorrise e abbassò lo sguardo. La mamma uscì, era stanca.

Il papà prese una sedia e si sedette accanto al letto.

Strinse la mano di Frederic tra le sue, sfiorò i graffi, le ferite sulle nocche e le unghie rotte.

«Questa storia poi te la devo davvero raccontare» disse Frederic, a bassa voce. «Se ti va. Io ti dico come sono andate le cose e poi le parole giuste le trovi tu, papà».

Non se l'aspettava, Alessandro, di sentire le lacrime scendergli giù sulle guance, erano un milione di lacrime che aspettavano il loro momento da anni e non c'era nulla da fare per fermarle e non era neanche giusto fermarle a quel punto della notte e allora...

E allora tutto quello che io ho fatto è stato semplicemente stare lì, inspirare ed espirare e aspettare che il respiro di mio figlio si facesse piano piano tranquillo e che il sonno andasse a trovarlo e che fosse un sonno buono, senza sogni brutti, senza sogni complicati.

Solo sogni belli da sognare, questa notte, per favore.

Rimasi ancora un po' lì, a guardare il tempo che passava.

Poi mi alzai e andai a dormire anch'io.

Domani, e poi il giorno seguente e quello dopo ancora, avrei ascoltato tutto quello che mio figlio si sentiva di raccontare, e non lo avrei interrotto mai e non avrei mai chiesto *se era proprio sicuro* e sempre, sempre avrei creduto che era tutto, dalla prima all'ultima parola, vero.

Adesso sono passate le settimane, e i mesi, e qui nel mio studio si sta bene, fuori è appena smesso di piovere e c'è una bella luce. Frederic sta giocando con i suoi compagni in giardino e X ogni tanto si arrabbia perché arrivano pallonate sulle rose che sta potando.

Il caffè nella tazza è freddo, ma si può ancora bere.

Il caminetto è pulito e ha accanto una piccola catasta di legno per l'inverno. Sulla scrivania, accanto alle macchie d'inchiostro a forma delle isole Hawaii, ci sono tre quaderni, una matita nera corta e una grigia nuova, un pennarello giallo, il computer portatile e la moneta d'oro che mi ha dato mio figlio, il *nostro* tesoro dei pirati.

Le mie mani sono un po' indolenzite, e hanno ragione perché lavorano da tante ore e io adesso penso che è bello che dove finiscono le mie dita sia finalmente incominciata una storia.

RINGRAZIAMENTI

Un grazie speciale a Niccolò Ammaniti, per aver trovato la miglior casa possibile da infestare con i miei fantasmi.

Grazie a Mariagrazia Mazzitelli per avermi aperto con un sorriso le porte di quella casa. Avere come coinquilini Harry Potter, i Ridarelli, Matilde e il GGG mi sembra una cosa oltre il meraviglioso.

Grazie a Francesca Manzoni per avermi accompagnato, passo dopo passo, in quella incredibile avventura che è scrivere un romanzo.

E grazie a Lucia Tomelleri per aver seguito con cura e pazienza la trasformazione del mio manoscritto in un vero libro.

Un debito di riconoscenza immenso per chi ha letto, e annotato, e consigliato: per primo mio padre Cesare, e poi Sandra Piana, Marco Peano, Sonia Scarponi, Enrico Rama e infine Chiara Prioletta, che mi ha insegnato com'è essere un ragazzino, oggi.

E ancora grazie grazie grazie…

Luca Bianchini, amico mio carissimo: adesso che io ho scritto un romanzo ti tocca fare un film! Ti porto il caffè sul set, promesso. A Polignano a Mare, se possibile.

A Francesca Serafini e Giordano Meacci, miei compagni di viaggio: i loro occhi il più bel paesaggio.

E per rimanere in tema, grazie di cuore alla cara Dori Ghezzi, che mi ha permesso di citare le parole di un uomo al quale devo tantissimo: Fabrizio De André.

Poi ci sono gli amici, quelli che per te ci sono sempre e per i quali io vorrei essere così bravo e forte da esserci sempre per loro. Lucio Pellegrini, Andrea Jublin, Lorenza Indovina, Filippo Gentili, Pierpaolo Peretti Griva, Daniele Segre, Inti Carboni e Libero De Rienzo.

Tutti gli equipaggi dei film fatti o ancora da fare. Quante storie ci aspettano, amici, là in mare aperto…

Francesco Colombo, amico dai vecchi tempi della Instar Libri di Gianni Borgo: ti ringrazio di cuore per tutto.

Marino Girardi, che un mattino mi ha fatto ritrovare, dopo che era stato smarrito per quattro lunghi anni, il manoscritto dell'idea originale di questa storia.

La libreria Luxemburg di Torino, con tutti i meravigliosi fantasmi che la frequentano. E anche tutti i vivi che la tengono viva: in particolare Gigi Ràiola, che è diventato anche un personaggio di questa storia.

Carlo Greppi, che in *tempi di guerra* è diventato un vero amico.

Matteo Lavagnino della bellissima libreria *sogneria* Belleville di Bruino.

Maurizio Gasseau, che mi accompagna nei miei viaggi nel mondo dei sogni.

Alessandro Zaccagna, che ha rinviato il mio passaggio allo stato fantasmatico.

Anna Maria Minunno e Michele Campanella: per loro un personalissimo e privatissimo «Mo' vediamo».

Gioia Levi, accanto da sempre, col suo sorriso.

Alessandro Baricco e la Scuola Holden: un buon posto dove stare, e dove tornare.

Manlio Castagna: hai condiviso con me i suoi incubi di Petrademone: ora condivido con te, my friend, le mie Ombre che camminano.

Walter Fasano, che ancora una volta mi è accanto, che sogna accanto a me. Vediamo dove questi fantasmi ci porteranno...

Gli amici che vorrei sempre trovare a casa mia quando torno da un lungo viaggio: Marzio, Valentina, Pietro, Margherita e Carola Matta; Stefano, Sonia, Chiara e Francesco Prioletta; Pietro, Cinzia, Rebecca e Ettore Deandrea; Roberto, Annalisa e Adelaide Rossi; i Comis, i Mottura, e naturalmente Ugo Splendore.

Jon Gray, che ha vestito questo libro col più bello dei vestiti possibili.

Cristiano Spadavecchia, che ha disegnato senza paura l'impronta terribile degli artigli di un'Ombra.

E naturalmente un grazie di cuore, da lontano, a Steven Spielberg, che mi ha insegnato a guardare con meraviglia il cielo stellato e l'infinita distesa delle luci delle città e a sognare che infiniti altri mondi sono possibili.

Mio fratello Remo, ti abbraccio.

Mio padre e mia madre, sempre e per sempre accanto a me.

Claudia, amore mio, e Federico, Leonardo, Gloria e Alessandro Beniamino, amori miei. Tutte queste parole sono parole d'amore per voi.

Ho scritto questo libro in vari posti: metà in Italia, a casa o vicino a casa o in treno; metà in un paio di caffè nei pressi dell'Università di Harvard, a Cambridge, nel Massachussets.

Il giorno in cui ho finito di scrivere questa storia sono andato a fare due passi per l'Harvard Yard, il centro storico della storica università: un posto magico pieno di alberi, prati, studenti e scoiattoli. Appena entrato, ho visto su una lapide di marmo una frase del poeta Ralph Waldo Emerson. Mi è venuta la pelle d'oca.

Sulla lapide c'era scritto: CAMBRIDGE È SEMPRE PIENA DI FANTASMI.

Be', ero proprio nel posto giusto al momento giusto, per una volta.

INDICE

Questo libro è stampato col sole

Azienda carbon-free

Fotocomposizione: Alessio Scordamaglia

Finito di stampare
nel mese di agosto 2019
per conto di Adriano Salani Editore s.u.r.l.
da Grafica Veneta S.p.A. di Trebaseleghe (PD)
Printed in Italy